DROS RYDDID!

DROS RYDDID!

GOL. LLINOS DAFYDD
AC IFAN MORGAN JONES

y Lolfa

Argraffiad cyntaf: 2022

Dymuna'r cyhoeddwyr gydnabod cymorth ariannol
Cyngor Llyfrau Cymru

Cynllun y clawr: Nic Finch

Rhif Llyfr Rhyngwladol: 978 1 80099 255 9

Cyhoeddwyd, rhwymwyd ac argraffwyd yng Nghymru gan
Y Lolfa Cyf., Talybont, Ceredigion SY24 5HE
gwefan www.ylolfa.com
e-bost ylolfa@ylolfa.com
ffôn 01970 832 304
ffacs 832 782

CYNNWYS

RHAGAIR

'Dros ryddid collasant eu gwaed.'

Dyna linell o'n hanthem genedlaethol yr ydym ni i gyd, mae'n siŵr, wedi ei chanu gannoedd os nad miloedd o weithiau. A dyna'r llinell sy'n rhoi i'r gyfrol hon ei theitl.

Ac mae'r llinell honno'n awgrymu bod protest dros newid a gwrthwynebiad i rym mwy o faint yn rhan annatod o fod yn Gymry. Fe allech chi hyd yn oed ddadlau mai rhyw fath o brotest ydy Cymru ynddi'i hun. Fel arall fe fyddai ein cenedl ni wedi ei hen lyncu gan wladwriaeth lawer mwy – a lyncodd genhedloedd bychain ledled y byd.

Y parodrwydd yna i fod yn wahanol, i beidio mynd gyda'r lli yw, efallai, yr un peth sydd gan Gymry yn gyffredin. Nid yw'r Cymry bob tro yn teimlo fel un bobol. Mae yna wahaniaethau daearyddol. Mae yna wahaniaethau ieithyddol. Mae yna wahaniaethau gwleidyddol dwys – rhwng gadael ac aros yn yr Undeb Ewropeaidd, o blaid ac yn erbyn datganoli, ac ar lu o bynciau eraill.

Mae hyd yn oed ein synnwyr ni o hanes Cymru yn gallu bod yn wahanol. Bydd rhai yn edrych yn ôl ar dywysogion yr oesoedd canol – Llywelyn ein Llyw Olaf ac Owain Glyndŵr – fel ein man cychwyn. Bydd eraill yn dadlau mai hanes dechreuad Cymru yw'r Chwyldro Diwydiannol, a'r mudiad llafur a ddeilliodd o hynny i fynnu tegwch.

Ond beth sydd gan y dadansoddiadau yma oll yn gyffredin yw eu bod nhw'n seiliedig ar wrthwynebiad. Ar barodrwydd i sefyll i fyny a mynnu ein hawliau. Ar Gymry yn mynnu dal gafael ar werthoedd y tybiant y bydden nhw'n eu colli pe baen nhw hefyd yn gollwng gafael ar eu Cymreictod.

Mae'r un llinyn arian hwnnw i'w weld yn yr holl straeon yr ydym ni'n eu dweud wrthym ni ein hunain fel cenedl. O Lywelyn ein Llyw Olaf yn brwydro yn erbyn y Normaniaid i wrthryfel Owain Glyndŵr, i derfysgoedd Beca, i wrthryfel y Siartwyr yng Nghasnewydd. O'r frwydr i ddatgysylltu'r Eglwys yn y 19eg ganrif i Streic y Penrhyn, i derfysgoedd Tonypandy. O Streic Fawr 1926 i araith 'Tynged yr Iaith' Saunders Lewis yn 1962. Trwy gydol hanes Cymru, 'trwy ddulliau chwyldro yn unig y mae llwyddo'.

Brwydr dros gyfiawnder, sydd hefyd yn wrthryfel yn erbyn anghyfiawnder – cred sylfaenol na ddylai'r gwannaf a'r tlotaf gael eu dominyddu gan y pwerus – yw'r hyn sy'n clymu ein stori genedlaethol ynghyd. Gwrthod cael ein gorchfygu.

Ac fel y gwelir yn y gyfrol hon, mae'r frwydr honno'n un sy'n parhau hyd heddiw, er i ni gael ein llywodraeth a'n senedd ein hunain. Mae yma frwydrau cyfarwydd – brwydrau dros yr iaith, brwydrau dros yr hawl i fyw yn ein cymunedau ein hunain, brwydrau dros ymreolaeth dros ein cenedl ein hunain. Ond mae yna hefyd frwydrau newydd nad oedd ein cyndadau wedi gorfod eu hwynebu – brwydrau dros ddiogelwch menywod ar-lein, a'r ymdrech i atal newid hinsawdd. Mae yna frwydrau sy'n ein herio ni'r Cymry hefyd, fel y protestiadau dros hawliau LGTBQ+ a Mae Bywydau Duon o Bwys. Mae'r rhain yn ein hatgoffa nad y lleiafrif sy'n brwydro dros eu hawliau bob tro. Mae modd cael eich gorthrymu mewn un cyd-destun gan orthrymu eraill mewn cyd-destun arall. Mae modd protestio dros eich hawliau eich hunain un funud gan gau eich clustiau a'ch llygaid i alwad eraill am eu hawliau nhw'r funud nesaf.

Yr hyn sydd gan bob un o'r 11 cyfrannwr yn y gyfrol hon yn gyffredin, fodd bynnag, yw eu bod yn ddewr – yn aml iawn yn tu hwnt o ddewr. Maen nhw hefyd yn hynod ymroddgar, yn gweld yr hyn sydd angen ei gyflawni ac yn bwrw ati gyda sicrwydd a phenderfyniad sydd y tu hwnt i'r mwyafrif ohonom ni. Maen nhw'n arwain o'r blaen.

Mae angen rhywrai fel y bobol yma er mwyn cyflawni unrhyw newid mawr mewn cymdeithas. Ond nid pawb sydd fel nhw (dim ond un noson mewn cell dros yr iaith Gymraeg sydd gan y golygyddion hyn rhyngddyn nhw). Does dim rhaid i bawb fod fel yna er mwyn gwneud gwahaniaeth. Tu ôl i bob un sydd ar flaen y gad, neu'n trefnu gorymdaith, neu sy'n cael eu harestio, mae yna fyddin o drefnwyr, o daflenwyr, o orymdeithwyr, ffilmwyr, dylunwyr…

Unigolion yn trafod eu profiadau sydd yn y llyfr yma, ond rhaid cofio mai *pobol* yn dod ynghyd a brwydro dros newid gyda'i gilydd sy'n newid y byd.

Llinos Dafydd ac Ifan Morgan Jones

'Cawsom wlad i'w chadw,

darn o dir yn dyst

ein bod wedi mynnu byw.'

Gerallt Lloyd Owen, Etifeddiaeth, 1972

GWEITHREDU GYDA HYDER

ANGHARAD TOMOS

Y PETH PWYSICAF EFO PROTEST yw eich bod yno. Yn y pen draw, y cwbl ydy protest ydy'r bobl sydd wedi ymbresenoli – mewn lle penodol, ar amser penodol. Yn ddi-ffael daw'r wasg atoch a gofyn, "Pam nad oes rhagor ohonoch chi yma?" A fedrwch chi byth ateb y cwestiwn hwnnw. Dydy'r wasg byth yn holi pobl, "Pam nad aethoch chi i'r brotest honno?" Achos dyna'r cwestiwn go iawn. Pan fydd protestio yn norm, bydd y cyfryngau yn dechrau holi'r cwestiwn hwnnw.

Dydy protestio byth yn dod yn hawdd, waeth pa mor aml yr ydych yn ei wneud. Rydw i wedi dysgu hynny. Ond dysgais hefyd na ddylech fyth ei wneud ar eich pen eich hun. Mae angen dau neu dri bob tro, i chi gael tynnu nerth oddi wrth eich gilydd. Rydw i wedi gwneud ffrindiau da wrth brotestio, ond mae gweithredu tor cyfraith wastad yn eich gwneud yn nerfus ac yn anesmwyth. Rydych chi eisiau ei wneud, ond byddai'n llawer gwell gennych beidio.

Ro'n i'n cyfri'r dyddiau y tro cyntaf y torrais y gyfraith. Ro'n i wedi aros blynyddoedd maith nes y byddwn yn oedolyn deunaw oed, yn gyfrifol am fy ngweithredoedd fy hun. Tridiau wedi dathlu'r pen-blwydd tyngedfennol hwnnw, dyma dorri i mewn i dŷ haf. Pan adawyd pedair ohonom ganol nos o flaen tŷ gwag diarffordd yng Nghapel Garmon ganol y saithdegau, dyfalais sut yn y byd oedden ni am fynd i mewn. Mwya sydyn, cafodd un ohonom y syniad o dynnu ei hesgid a'i hyrddio drwy'r ffenest. Malodd yn ufflon, ac i mewn â ni. Gwers gyntaf – does dim hyfforddiant yn y gêm hon, rhaid i chi ganfod eich ffordd eich hun tuag at y nod.

Gwers dau – dydy hi byth yn hawdd. Beth bynnag ddysgwch chi y troeon cyntaf, gallwch fod yn sicr y bydd pethau'n wahanol y tro nesaf. Yn aml iawn, roedd y dau neu dri wedi dod, roedd yr offer cywir gennych, y targed cywir – ond dim lifft. Yr ateb amhosibl i'r broblem oedd y creadur chwedlonol hwnnw – cyfaill dros un ar hugain oed efo trwydded yrru lân. Prin iawn oedd y bobl dros 21 roedden ni'n eu nabod, prinnach fyth oedd y rhai efo trwydded yrru, na cherbyd.

Gwers tri – mae'r heddlu yng Nghymru yn wahanol i'r heddlu yn Lloegr. Os dowch wyneb yn wyneb â phlismon yng Nghymru, mae Cymdeithas yr Iaith yn golygu rhywbeth iddynt. Dydy o ddim yn Lloegr. Fwy nag unwaith cawsom ein camgymryd am aelodau o'r IRA, a dydy hynny ddim yn beth braf. Wedi dweud hynny, mae yna wahaniaeth mawr rhwng plismyn gwahanol. Mae gan rai gydymdeimlad efo chi, mae rhai yn eich casáu. Fedrwch chi byth ddweud. Mae yna elfen o syndod bob tro.

Fedrwch chi byth ddweud efo gweithred dor cyfraith sut mae pethau am ddigwydd – mae 'na elfen gref o lwc yn yr holl fusnes. Wrth dorri i mewn i drosglwyddydd teledu er enghraifft, hap a damwain ydy canfod y botwm hanfodol sy'n diffodd y system. Weithiau, gallwch fod yn lwcus. Dro arall, dydych chi ddim. Does a wnelo fo ddim gymaint â hynny efo paratoi. Gallwch drefnu rhywbeth yn fanwl iawn, yna cyrraedd man penodol a chanfod yr heddlu wrth y fynedfa…

Roedd gweithredu yn Llundain wastad yn drafferthus, petai ond am y ffaith fod y lle mor bell o bob man. Yn un peth, roedd teithio yno efo llond bws o fyfyrwyr yn flinedig, ac wedi cyrraedd roedd angen gwneud y weithred, er mai pryd o fwyd a chysgu roedd eich corff yn crefu amdano. Cael sylw oedd y broblem yn Llundain – roedd cymaint o bethau eraill yn cystadlu amdano. Fe aech i'r holl drafferth i giwio i fynd i Dŷ'r Cyffredin, torri ar draws y drafodaeth, yna cael eich lluchio allan yn ddiseremoni. Mewn rhwystredigaeth lwyr, roeddech yn eistedd ar y ffordd i rwystro'r traffig. Unrhyw beth i ddal sylw'r wasg. Byddai'r heddlu yn eich llusgo ymaith, a doedd dim sylw i'r brotest honno chwaith. Unwaith, dyma beintio Colofn

Nelson, gan wybod y byddai'r heddlu yn neidio arnom ac yn ein harestio yn syth. Ddaru hynny ddim digwydd. Yn y diwedd, dyma beintio pedair ochr grisiau'r golofn, ac aros am hydoedd i'r heddlu gyrraedd. Pen draw y brotest honno oedd tri mis o garchar. Roedd hynny yn syrpréis.

O edrych yn ôl, falle bod meddiannu tai haf, malu trosglwyddydd, dringo mastiau a tharfu ar y Senedd yn weithredoedd hawdd o'u cymharu efo protestiadau eraill – protestiadau oedd yn golygu tarfu ar adeilad yn ystod oriau'r dydd. Yn y nos, mater o gael esgid neu ordd a malu gwydr ydyw, ond mae cael mynediad i adeilad yn ystod y dydd yn fater anos. Os llwyddwch i gael mynediad, mae'n fater o ddod wyneb yn wyneb â staff sydd wedi cael sioc, a chi sy'n gyfrifol am eu dychryn. Y rheol fel arfer ydy cael un person i siarad efo'r staff, tra aiff y gweddill ymlaen i eistedd, taflu deunydd drwy'r ffenest neu beintio slogan. Roedd hi wastad yn anodd mynd at berson a dweud, "Peidiwch dychryn, aelodau o Gymdeithas yr Iaith ydyn ni, a fydd neb yn cael ei niweidio." Byddai rhai yn ymateb yn emosiynol neu'n fygythiol, yn flin, yn drist, a rhaid oedd delio efo hynny. Ond yn aml, byddai'n dod i'ch meddwl, 'Biti na fyddwn i wedi aros adref…'

Pam mae rhywun yn ei wneud felly? Am ei fod yn rhan o ymgyrch. Am i chi eistedd o amgylch bwrdd a llunio nod a strategaeth, ac roedd y gweithredu yn rhan o'r strategaeth honno. Ac roedd gennych griw o bobl yr oeddech yn ymddiried ynddynt, ac roedd y naill yn cefnogi'r llall. Roedd yna ddealltwriaeth ddofn rhyngom. Ac amla'n y byd roeddech yn gweithredu efo'ch gilydd, dyfna'n y byd oedd y parch a'r ymddiriedaeth ynddynt.

Wedi'r gweithredu a'r sylw, byddai'r gwahoddiad yn dod o du'r Llywodraeth i gwrdd â nhw i Drafod Ein Gofynion. I mi, roedd bod yn rhan o ddirprwyaeth yr un mor anodd â gweithred dor cyfraith. Wrth fynd drwy ddrysau'r Swyddfa Gymreig, dringo'r grisiau crand a cherdded ar hyd coridor maith i gael mynediad i stafell efo bwrdd maint cae pêl-droed, roedd wynebu rhyw swyddog hunanbwysig yn peri i mi deimlo fel chwannen. Byddai'n rhaid gwrando ar ryw rwdlan swyddogol am tua ugain munud, yna byddent yn edrych arnom yn hynod feirniadol a gofyn inni ymateb. Ein bychanu oedd eu prif nod, a'n cael i faglu ar fân bwyntiau polisi, ond byddem yn llwyddo i ddal ein tir, ac yn dal i arddel pwysigrwydd ein hachos. Ond doedd o ddim yn beth hawdd. "Rydych yn rhy ifanc i ddeall," oedd y sylw ges i gymaint o weithiau.

O edrych yn ôl, dwi'n synnu mor gorfforol y gallai'r protestio fod. Mae'n siŵr fod pobl dros y byd yn gallu uniaethu â hyn. Roedd swyddfa'r Ceidwadwyr yng Nghaernarfon yn darged cyson (a hawdd) drwy'r 1980au, ac roedd y gwas cyflog, Elwyn Jones, yn dweud pethau mor hurt, roedd y protestiadau yn adloniant ar blât. Elwyn Jones, Cymro cyffredin o'r Blaenau, oedd unig warchodwr y gaer. Dyma fynd i mewn unwaith a rhuthro i fyny'r grisiau. Roedd Elwyn yn sefyll ar y top yn benderfynol o'n rhwystro; dyma ganfod fy ngwddw wedi ei wasgu rhwng ei goesau, a chofiaf feddwl, "Sut ydw i wedi cyrraedd y fath sefyllfa?" Yr amod wrth gael eich llusgo oddi ar y llawr gan yr heddlu oedd mynd yn llipa a pheidio gwrthwynebu. Byddech yn troi yn ddoli glwt, ond o, y cleisiau y bore wedyn! Dydw i byth yn pasio'r troad am Lanelwy heb gofio protest arwyddion fu ddegawdau yn ôl, lle ges i fy nghoes rywsut dan arwydd tra oedd llu o brotestwyr ar ei ben, a gadawyd craith arnaf i nodi'r achlysur. Mater o fod yn y lle anghywir ar yr amser anghywir oedd hynny. Mae hynny wedi digwydd yn aml i mi, megis yn Steddfod Caerdydd 1978 pan gymerwyd Wynfford James i ffwrdd mewn fan heddlu. Rhuthrais at ddrws y fan, a rhuthrodd plismon i'm rhwystro gan fy hyrddio i'r llawr. Diweddodd y Steddfod honno efo fi ar fy nghefn yn Ysbyty'r Heath â 'nhrwyn wedi torri. Lle rong eto…

Ond yn ogystal â pheidio bod yn y lle anghywir, mae'n bwysig mewn protest i fod yn y lle iawn hefyd. Dwi wedi dysgu hynny dros y blynyddoedd. (A deud y gwir, gallwn sgwennu traethawd ymchwil ar hyn.) Mor aml dwi wedi canfod protest neu orymdaith yn dod i stop oherwydd… 'run rheswm arbennig. Mae hynny yn rhwystr. Rydych wedi cael criw i ddod ynghyd ar awr benodol i le penodol, ac mae popeth yn mynd fel watsh. Y cynllun ydy fod pawb yn gorymdeithio ac yn cael mynediad i adeilad ar gyfer protest neu feddiannu. Ac wrth iddynt gyrraedd y drws, maent yn stopio. Weithiau, dim ond am fod y drws ar gau, weithiau am fod un heddwas yno, weithiau am fod eu hymennydd yn dweud wrthynt mai'r peth doeth ydy aros. Ar adegau felly, mae'n bwysig bod ar flaen y dorf – yn llythrennol. Achos bach iawn ydy'r ymdrech sydd ei hangen i wneud y weithred honno yn llwyddiannus. Dim ond blaen eich troed (yn llythrennol) sydd ei angen i fod yn y drws. Cyn belled â bod chydig bach o agoriad, a dim digon o bobl i'ch rhwystro, gallwch fynd i mewn. Ac unwaith rydych i mewn, mae'r brotest wedi digwydd.

Hyder ydy'r allwedd i gymaint o'r gweithredoedd hyn. Trwytho eich hun yn y meddylfryd nad oes dim fedr mân swyddogion (na swyddogion 15 stôn, tase hi'n dod i hynny) ei wneud i chi. Dyna lwyddiant gweithredu di-drais. Ymbresenoli yw'r unig beth sy'n rhaid ei wneud i'r weithred fod yn llwyddiant. Herio pwysigrwydd sefydliadau, a chael digon o amynedd i aros.

Ac er efallai y byddai eraill yn meddwl mai dyna ran hawsaf y brotest, yr 'aros' yma sy'n peri'r trafferth mwyaf i fi. Dwi'n berson hynod, hynod ddiamynedd. Rydw i'n iawn mewn cynnwrf neu ddryswch, ond mae dygymod â gwneud dim yn heriol tu hwnt. Ac mae cymaint ohono mewn protestio. Rydych ar ben mast, ac rydych wedi addo bod yno 'am gyfnod amhenodol' – a does dim oll i'w wneud ar ben mast i ddifyrru'r amser. Rydych yn meddiannu tŷ haf, neu stiwdio deledu, neu swyddfa Ceidwadwyr dros nos, ac wedi'r cynnwrf cychwynnol, mae'r oriau yn llusgo MOR araf, mae'r heddlu MOR hir yn cyrraedd. A'r adegau gwaethaf – achosion llys. Rhaid i bawb gyrraedd ben bore, ond does wybod pryd fydd 'yr achos iaith'. Gallwch sefyllian o flaen llys am fore cyfan a does dim wedi digwydd. Rydych yn mynd am ginio, ac yna'n dod yn ôl yn y pnawn. Treuliwyd cymaint o ddyddiau yn sefyllian mewn llysoedd barn o Fôn i Fynwy (a thu hwnt), ac yn eironig, mae cymaint o'r llysoedd barn hynny wedi eu cau bellach. Ond ar y dyddiau hynny, collais gyfrif o faint o bobl ddeuthum i'w nabod, a chymaint o hen gyfeillgarwch a gafodd ei gadarnhau. Falle mai'r aros gwaethaf yw mewn swyddfa heddlu, pan ydych ar eich pen eich hun gefn trymedd nos. Mae hi'n anodd bryd hynny...

Dros y blynyddoedd, peidiodd y protestiadau â bod yn rhai mor bell. Peidiodd y teithiau maith i Lundain, ac i Gaerdydd hyd yn oed. Cafwyd rhyw gyfnod mis mêl ddiwedd y ganrif gan fod Cynulliad, fel yr oedd bryd hynny, wedi ei sefydlu, ac roedd eisiau rhoi cyfle i hwnnw. Diflannodd gerwinder Thatcheriaeth a daeth rhyw gysyniad dieithr o 'Cŵl Cymru' i fod, a phawb yn reit gyfeillgar efo'i gilydd. Gorffwysais ar fy rhwyfau, priodais, rhois enedigaeth i fab. A hwn oedd yr epil y bûm yn meddwl amdano cyhyd, y bod haniaethol y bûm yn brwydro ar ei ran ar hyd yr amser. Er mwyn atal ei genhedlaeth o rhag gorfod rhwystro ffyrdd a dringo mastiau y buom yn protestio. Es i â fo, yn falch i gyd, i'r dosbarth magu a chael holiadur i wybod ym mha iaith y byddwn yn magu'r plentyn.

"Cymraeg," meddwn, yn gegrwth.

"Da iawn chi," meddai'r swyddog a rhoi bag o lyfrau Cymraeg i mi. Dwi ddim yn cofio bellach pa gynllun penodol oedd hwnnw i adfywio'r iaith.

Ond erbyn hynny, roedd yr angen i brotestio ar garreg y drws, a Chyngor Gwynedd wedi seilio ei strategaeth ar ddatblygu trefi'r arfordir a chael Wylfa Newydd ym mhen draw Sir Fôn. Roedd 8,000 o dai newydd am gael eu codi, ac felly, 'nôl â ni i sefyllian o flaen adeilad y Cyngor, dadlau efo'r awdurdodau, gwnïo baneri, gwneud posteri. A phan fyddwn yn dod benben efo'r mân swyddogion y tro hwn, roedd ganddynt gŵyn newydd: "Dydach chi ddim yn meddwl eich bod braidd yn hen bellach i fod yn gwneud hyn?"

Ymateb arall a gawn oedd, "Mae Cyngor Gwynedd yn gwneud llawer mwy dros y Gymraeg na'r un Cyngor arall." Fel petai hynny'n golygu eu bod uwchlaw beirniadaeth. Ond parodd y polisi llymder am flynyddoedd, a'r Cyngor yn gweithredu toriadau'r Ceidwadwyr. Yn y diwedd, roedd popeth dan fygythiad. Trodd y protestio i fod ar raddfa bentrefol. Banc y pentref oedd y peth cyntaf i fod dan fygythiad. Roedd HSBC am haneru oriau'r gangen.

Trefnwyd fod pobl y pentref yn dod i'r banc – ar awr benodol, cafwyd posteri a datganiad i'r wasg, bu'n stori yn y papur. Yna, cafwyd bygythiad i gau llyfrgell y pentref. Bu honno'n brotest hynod boblogaidd – gan fod pawb yn defnyddio'r llyfrgell – a daethant i lenwi'r lle efo placardiau yn ystod y cyfnod ymgynghori. Ddaru'r Cyngor hyd yn oed fygwth y ddynes lolipop oedd yn helpu plant i groesi'r ffordd. Enillwyd y frwydr honno, ac un y llyfrgell. Cau yn barhaol wnaeth y banc. Yna bu'r clwb ieuenctid dan fygythiad.

Mwya sydyn wedyn, a minnau dros fy hanner cant, rydw i'n fy nghanfod fy hun yn ail-fyw brwydrau'r gorffennol. Pwy ddychmygai y byddem ar risiau'r Swyddfa Gymreig mewn protest i gadw S4C rhag bygythiadau i'w bodolaeth?

Mae'n rhaid parhau i brotestio, ond mae o'n dreth ar amynedd rhywun. Rydych fel petaech yn cario baich y Gymraeg mewn sach ar eich cefn, ond mae'r sach yn breuo fwyfwy, ac mae'r darnau rydych yn eu gwnïo dros y tyllau yn rhai tenau iawn.

Ymgyrch arall y bûm yn weithgar â hi oedd y frwydr dros heddwch, gan wrthwynebu'r awyrennau Hawk yn y Fali, ac ymbresenoli mewn protestiadau yn erbyn meddiannu Irac a lle bynnag arall roedd Prydain Fawr yn penderfynu eu bygwth. Ond roedd y galw y tro hwn am weithred benodol yn erbyn Maes Awyrennau Llanbedr, lle roedd bygythiad i'w ddatblygu fel y gellid defnyddio drôns yno. Rhaid oedd mynd i aros dros nos mewn tŷ ym Meirionnydd a deffro tua thri y bore i gael mynd ar y maes glanio wrth i'r wawr dorri. Pawb â'i frwsh, a phawb â'i dun paent, a dyma beintio mewn llythrennau chwe throedfedd ar y tarmac – DIM DRONES. Fe'm trawodd o'r newydd pa mor hawdd ar un ystyr ydy gweithredu di-drais. Mater o ymbresenoli mewn man penodol, ar awr benodol ydyw – dim mwy (na dim llai).

Dwi'n dal yn ei weld yn abswrd fod rhaid gwneud y pethau hyn, dros heddwch, dros y Gymraeg, dros gyfiawnder. Pam mae angen protestio dros y pethau hyn, sy'n faterion mor sylfaenol? Ond dyna sut y mae hi, 'ac ni wn paham'. Yr unig beth yr ydw i'n ddiolchgar amdano yw ein bod yn ei chael hi mor hawdd yn y gornel fach hon o'r byd. Mae pobl wedi eu lladd am bethau llai difrifol mewn gwledydd eraill. Diolch a ddylem fod ein baich mor ysgafn.

'The people who speak this language, who read this literature, who own this history, who inherit these traditions, who venerate these names, who created and sustain these marvellous religious organizations... Have they not the right to say to this small propertied class, we are the Welsh people and not you?'

Henry Richard, 'Yr Apostol Heddwch' o Dregaron, yn ymgyrchu dros ei sedd fel Aelod Seneddol Merthyr Tudful yn 1868

GORYMDEITHIO DROS ANNIBYNIAETH

LLYWELYN AP GWILYM

YN 2014 AETH YR Alban i'r gorsafoedd pleidleisio i
benderfynu a ddylid bod yn genedl annibynnol. I lawer
o bobl ledled y DU, am y tro cyntaf, daeth y refferendwm
hwnnw â dyfodol pan na fydd y DU yn bodoli i ffocws. Ar
y pryd, roedd y 45% o bleidleiswyr oedd yn cefnogi Alban
annibynnol yn gwrthgyferbynnu'n llwyr â'r polau piniwn
yng Nghymru, oedd yn rhoi cefnogaeth dros annibyniaeth
i Gymru o gwmpas 15%. Yn hanesyddol, roedd cefnogaeth
o'r fath yn arferol, ac mae'n bosibl y gellid ei hystyried yn
'uchel', ond erbyn diwedd y degawd, wrth i annibyniaeth
ddod fwyfwy yn rhan o'r brif ffrwd, byddai 2014 ac 'o
gwmpas 15%' yn ymddangos fel amser maith yn ôl.

Atgyfnerthodd y refferendwm Brexit yn 2016 ymhellach
y ffaith bod ein setliad cyfansoddiadol yn agored i newid.
Gyda'r sylweddoliad hwn dechreuodd pobl Cymru
gwestiynu'r *status quo* a welodd y Llywodraeth yn San
Steffan, yr oedd Cymru wedi'i gwrthod yn gadarn, yn gosod

degawd o lymder ar y wlad, gan arwain at gynnydd mewn cyfraddau tlodi, toriadau dwfn i raglenni cymdeithasol a chymunedol, a lefelau cynyddol o broblemau iechyd meddwl. Gofynnodd pobl, "A yw San Steffan yn gweithio i ni, ac os nad yw hi, beth yw'r dewis arall?"

Ynghanol y newid yma ym marn y cyhoedd, wrth gwestiynu'r *status quo*, lansiwyd YesCymru yn 2016 fel ymgyrch dros annibyniaeth ar lawr gwlad, gydag Undod a grwpiau eraill yn ei ddilyn. Rhoddodd Plaid Cymru y gorau i fflyrtio ag annibyniaeth a'i dderbyn yn ffurfiol fel nod, ac fe gyhoeddodd y Blaid Werdd eu cefnogaeth yn ogystal.

Yn erbyn y cefndir hwn cefais fy hun yn trefnu'r orymdaith dorfol fodern gyntaf dros annibyniaeth i Gymru.

***

Mae gan Gymru hanes hir a chwedlonol o brotestio. Mae gorymdeithiau, protestiadau, terfysgoedd a gwrthryfeloedd wedi digwydd ar raddfa leol a chenedlaethol, mewn ymateb i ddigwyddiadau lleol a rhai o bwys byd-eang. Mae nifer o'r rhain yn fyw o hyd yn ein cof cenedlaethol.

Yn 1831 fe wnaeth poblogaeth ddosbarth gweithiol Merthyr Tudful, gan lafarganu "caws a bara", godi'r faner goch a diswyddo llys y dyledwyr, gan wrthwynebu'r amodau yn y pyllau glo. Ar ddiwedd y degawd, yn 1839, gorymdeithiodd 10,000 o Siartwyr i Gasnewydd gan fynnu'r hawl i bleidleisio ac i gynnal pleidleisiau cyfrinachol. Ar yr un pryd, a chan barhau hyd ddechrau'r degawd nesaf, digwyddodd Terfysgoedd Beca yng ngorllewin y wlad, gyda chymunedau amaethyddol yn protestio yn erbyn lefelau treth annheg, gan ddinistrio tollbyrth.

Yn ystod hanner cyntaf y ganrif ddilynol bu'r Tân yn Llŷn, pan wnaeth Saunders Lewis, Lewis Valentine a D. J. Williams roi'r ysgol fomio newydd ar dân, cyn ildio a chyflwyno'u hunain i heddlu Pwllheli. Roedd ail hanner y ganrif yn dyst i nifer cynyddol o brotestiadau. Yn 1963, dechreuodd Cymdeithas yr Iaith ei hymgyrch ysbrydoledig o weithredu uniongyrchol di-drais drwy eistedd ar ganol Pont Trefechan, Aberystwyth. Yr un flwyddyn protestiodd grwpiau ac unigolion mewn nifer o ffyrdd gwahanol yn erbyn boddi Tryweryn. Bu menywod yn gorymdeithio i Gomin Greenham yn yr 1980au i sefydlu gwersyll heddwch i brotestio am leoli taflegrau niwclear yno, ac fe frwydrodd y glowyr yn erbyn cau glofeydd a'r dinistr cymunedol a achoswyd gan lywodraeth Thatcher.

Yn fwy diweddar bu cyfres o brotestiadau Nid yw Cymru ar Werth ar draws y wlad, yn erbyn yr argyfwng tai presennol, tra bod protestiadau Black Lives Matter wedi lledu i Gymru yn dilyn marwolaethau trasig George Floyd yn yr Unol Daleithiau, Mohamud Mohammed Hassan yng Nghaerdydd, a Moyied Bashir yng Nghasnewydd.

Nid yw protestio yn cael ei gaethiwo i'r llyfrau hanes. Ac nid yw protestio chwaith yn cael ei gaethiwo i Gymru, Prydain a'r DU.

Wrth i brotestiadau ddigwydd ar raddfa leol neu genedlaethol, maent yn aml yn adlewyrchu cyd-destun rhyngwladol hefyd: roedd y grŵp a alwai eu hunain yn 'Women for Life on Earth' a fu'n protestio ar Gomin Greenham yn rhan o ymgyrch heddwch a gwrth-niwclear lawer mwy; roedd protestiadau BLM yng Nghaerdydd yn rhan o fudiad mwy i dynnu sylw at yr hiliaeth, y gwahaniaethu a'r anghydraddoldeb strwythurol a brofir gan bobl dduon.

Ac felly y mae hi gyda'r gorymdeithiau dros annibyniaeth. Mae'r cysylltiadau â mudiad annibyniaeth yr Alban yn glir ac yn amlwg, ond yr un mor bwysig yw'r ysbrydoliaeth a gymerwyd o'r frwydr dros annibyniaeth yng Nghatalwnia, yn ogystal â'r symudiadau cynyddol dros hunanbenderfyniad yn Llydaw a Chernyw. Mae'r frwydr dros annibyniaeth i Gymru yn rhan o frwydr fwy dros annibyniaeth i lawer o genhedloedd na chawsant erioed eu cenedl-wladwriaeth eu hunain.

I'r gwrthwyneb, er y gall protestiadau fod yn un rhan o gyd-destun mwy, maent yn aml yn cael eu hysgogi gan faterion lleol. Mae hyn hefyd yn wir am y gorymdeithiau dros annibyniaeth. Mae gweithredwyr yn trefnu gorymdeithiau dros annibyniaeth oherwydd eu bod am i Gymru fod yn wlad well. Maent am i fywydau pobl Cymru, holl bobl Cymru, fod yn well, ac maent yn cydnabod mai annibyniaeth yw'r llwybr gorau ar gyfer cyflawni'r newid hwn.

Annibyniaeth yw'r llwybr ar gyfer mynd i'r afael â'r toriadau a'r llymder sydd wedi achosi cynnydd enfawr yn nifer y banciau bwyd.

Annibyniaeth yw'r llwybr ar gyfer ailwampio strwythurau dosbarth, hil a phatriarchaeth y DU.

Annibyniaeth yw'r llwybr ar gyfer cefnu ar y consenswr neoryddfrydol sy'n rhoi gwerth ar elw ar draul pobl.

***

Dyma a'm hysbrydolodd i wrth gynnig fy hun yn brif drefnydd gorymdeithiau annibyniaeth Cymru. Roedd gorymdeithiau torfol dros annibyniaeth wedi bod yn digwydd yn yr Alban ers 2014. Roedd y trefnwyr yno yn awyddus i weld rhywbeth tebyg yn digwydd yng Nghymru ac, wrth gynllunio i symud yn ôl i Gaerdydd gyda fy nheulu, cynigiais fy hun. A minnau heb ymgymryd ag unrhyw beth tebyg o'r blaen, roedd yn amlwg y byddai angen cymorth a chefnogaeth arnaf gan y rhai oedd â phrofiad o drefnu digwyddiadau a mudiadau torfol, a'r rhai ar lawr gwlad yng Nghaerdydd. Gallai trefnwyr yn yr Alban ddarparu'r cyntaf, a'r ffordd orau o sicrhau'r ail oedd cael cefnogaeth gan glymblaid eang o grwpiau oedd yn gefnogol i annibyniaeth.

Daeth y caffis yn arcedau hanesyddol y brifddinas yn ganolfannau i gynllunio ac adeiladu cefnogaeth. Cynhaliwyd cyfarfodydd gyda grwpiau oedd yn canolbwyntio ar y frwydr dros annibyniaeth, megis YesCymru gyda'i rwydwaith eang o grwpiau lleol, llwyfan ac arian, grwpiau eraill fel Cefnogwyr Pêl-droed Cymru dros Annibyniaeth, yn ogystal â grwpiau fel Cymdeithas yr Iaith, gyda'i hanes hir a nodedig o brotestio llwyddiannus, a'i nodau yn rhai y byddai'n haws eu cyrraedd mewn gwlad annibynnol. Roedd y gefnogaeth gan y grwpiau a'r mudiadau yn hynod o gadarnhaol, ac roedd unigolion yn hynod o hael â'u hamser, gan ymuno â grŵp craidd o ymgyrchwyr i gynllunio, trefnu a pharatoi ar gyfer yr orymdaith.

Yr her olaf oedd cynyddu diddordeb – mae trefnu digwyddiad yn hanner y frwydr, ond yr hanner arall yw sicrhau bod pobl yn mynychu. Cawsom ein helpu gan y cyfryngau ar lawr gwlad, sy'n tyfu yng Nghymru, gan ymestyn presenoldeb YesCymru ar y cyfryngau cymdeithasol a'n presenoldeb cynyddol ein hunain, yn ogystal â dibynnu ar waith diflino ymgyrchwyr a chefnogwyr ar hyd a lled y wlad, yn gosod posteri, dosbarthu taflenni, cynnal stondinau stryd, a threfnu bysiau.

★★★

Caerdydd, 11 Mai 2019. Diwrnod yr orymdaith gyntaf. Dechreuodd y bore yn stiwdios BBC Radio Wales yn Llandaf. Ffocws y cyfweliad byr oedd pôl piniwn Dydd Gŵyl Dewi diweddar a roddodd gefnogaeth o 7% dros annibyniaeth, er bod mwyafrif yr ymatebwyr yn cefnogi pwerau ychwanegol i'r Cynulliad. A oeddem yn gwastraffu ein hamser, gofynnwyd i mi. Er gwaethaf pob ymdrech i gadw'n obeithiol, dechreuodd naws y cyfweliad roi amheuon yn fy meddwl: a fyddai digon o bobl yn dod i wneud y diwrnod yn llwyddiant?

Felly, rhyddhad mawr oedd cerdded gyda fy rhieni, fy ngwraig a'n plant, rownd y gornel o'r Amgueddfa Genedlaethol i Neuadd y Ddinas, i gael ein cyfarch gan dorf enfawr o bobl, gyda llawer o wynebau cyfeillgar yn eu plith. Wrth i ni ddilyn y ffordd o Neuadd y Ddinas i Heol y Frenhines, heibio'r cerflun o Aneurin Bevan ac ymlaen i'r Aes, daeth canol y ddinas i stop. Safodd siopwyr i wylio'r llu enfawr o bobl – swnllyd, siriol a lliwgar – yn chwifio baneri, yn cario fflêrs, yn canu caneuon, ac yn llafarganu "Cymru Rydd". Roedd annibyniaeth wedi dod i Gaerdydd.

Roedd newid munud olaf wedi'i wneud i ddiwedd yr orymdaith: lleoliad llwyfan y rali. Yn lle gorymdeithio i fyny'r Aes i orffen y tu allan i'r Llyfrgell Ganolog roedd yr areithiau i'w cynnal 200 llath ymhellach i fyny'r stryd, yn ddigon pwrpasol, wrth gerflun John Batchelor, Cyfaill

Rhyddid. Byddai hyn wedi golygu bod angen i flaen yr orymdaith gerdded heibio'r llwyfan, gan adael lle i gefn yr orymdaith lenwi ar ei ôl. Ond gyda'r holl gyffro pentyrrodd y dorf o amgylch y cerflun, gan ei gwthio i mewn o bob ochr a chau'r stryd. Roedd ymdriniaeth ddigynnwrf yr heddlu, y Cyngor a'r stiwardiaid, yn ogystal ag agwedd gadarnhaol y 3,000 a oedd yn bresennol, yn golygu mai'r ffordd orau o weithredu oedd gadael i bethau barhau heb ymyrraeth.

Yn erbyn cefndir o fwg coch yn llifo o fflêr wrth draed John Batchelor, adleisiodd areithiau, llafarganu a chanu oddi ar ochrau uchel y strydoedd siopa. Ac ar ôl fersiwn o 'Hen Wlad Fy Nhadau' na fyddai wedi bod allan o'i le yn y stadiwm, dafliad carreg i ffwrdd, roedd y cyfan drosodd, gan adael gorymdeithwyr, siopwyr, dinas, a chenedl gyfan i dorheulo yng ngwres yr achlysur.

Helpodd yr orymdaith yng Nghaerdydd i roi'r alwad am annibyniaeth ar y map. Nid oedd bellach yn hobi i nifer fach o weithredwyr ymroddedig – roedd annibyniaeth yn y brif ffrwd. Roedd yn newyddion ar y dudalen flaen. Daeth yr etifeddiaeth hon i'r amlwg bron ar unwaith. O eitemau newyddion ar y BBC, ITV ac S4C, i dudalen flaen *Wales on Sunday* a darn yn *The Guardian*, roedd adroddiadau am yr orymdaith mewn cyfryngau print traddodiadol, ar deledu ac ar-lein ar hyd y wlad ac o gwmpas y byd, mor bell i ffwrdd â Siapan.

Yr un mor sydyn gwelwyd galw am fwy o orymdeithiau, ac yn fuan iawn trefnwyd digwyddiadau yng Nghaernarfon a Merthyr gan grwpiau o weithredwyr lleol, gan guro'r niferoedd yn y dorf a welwyd yng Nghaerdydd a chadarnhau lle annibyniaeth ym mhrif ffrwd trafodaethau gwleidyddol.

Wedi'i ysgogi'n rhannol gan lwyddiant y gorymdeithiau a'r cynnydd yn y sylw ar y cyfryngau, cynyddodd y diddordeb ar lawr gwlad mewn annibyniaeth, gyda rhagor o weithredwyr yn cymryd rhan a grwpiau newydd yn cael eu sefydlu. A gyda chefnogaeth boblogaidd gynyddol, gwelwyd diddordeb parhaus gan y cyfryngau gartref a thramor, gan gynnwys safbwyntiau mor amrywiol â golwg fanwl ar ddyfodol cyfansoddiadol y DU gan y darlledwr cyhoeddus Almaenaidd ZDF, cyfres o erthyglau ar y farn wleidyddol yng Nghymru gan gwmni cyfryngau annibynnol asgell chwith Novara Media, yn ogystal â chyfweliad gyda'r cylchgrawn addysgol Ffrangeg *Geo*.

Yr un mor bwysig ag adeiladu'r galw ar lawr gwlad am annibyniaeth, helpodd y gorymdeithiau i symud y drafodaeth wleidyddol dderbyniol i gynnwys yr alwad am annibyniaeth, a hynny o ddifrif. Gwelwyd hyn yn fwyaf amlwg wrth ffurfio Comisiwn Annibyniaeth Plaid Cymru ac yn ymrwymiad y blaid, yn y maniffesto ar gyfer etholiad y Senedd yn 2021, i gynnal refferendwm yn ystod tymor nesaf y Senedd. Yn bwysicaf oll, mae annibyniaeth yn un canlyniad sy'n cael ei ystyried fel rhan o gonfensiwn cyfansoddiadol y Blaid Lafur Gymreig, a gyhoeddwyd yr un flwyddyn.

Rhoddodd Covid-19 stop ar drefnu gorymdeithiau, gyda digwyddiadau yn Wrecsam, Blaenau Gwent ac Abertawe yn cael eu gohirio. Fodd bynnag, bydd AUOBCymru yn ôl ar y strydoedd yn 2022, yn helpu i drefnu gorymdeithiau unwaith eto, yn gweithio i roi llwyfan i weithredwyr ar gyfer lledaenu a rhannu syniadau, profiadau a gwybodaeth, ac yn atgoffa sefydliad y DU fod y galw am annibyniaeth yma o hyd!

★★★

Wrth ysgrifennu yng ngwanwyn 2022, yn erbyn cefndir yr argyfwng costau byw, effeithiau parhaus pandemig Covid-19, llywodraeth shambolig San Steffan a'r rhyfel yn Wcráin, mae'n amlwg bod y weithred o brotestio yr un mor bwysig ag erioed. Yn enwedig wrth i San Steffan wthio mesur drwy'r Senedd a allai i bob pwrpas wahardd protestiadau, o unrhyw fath.

Mae'r hawl i brotestio yn cael ei gwarchod ar hyn o bryd dan y Confensiwn Ewropeaidd ar Hawliau Dynol, ac er mwyn gosod cyfyngiadau ar brotest rhaid i'r heddlu ddangos y gallai arwain at 'anhrefn cyhoeddus difrifol, difrod difrifol i eiddo neu amhariad difrifol i fywyd y gymuned'. Yn lle hynny, byddai Deddf yr Heddlu, Troseddu, Dedfrydu a'r Llysoedd yn rhoi pwerau i'r heddlu gau protestiadau a gorymdeithiau am ddim byd mwy na'u bod yn rhy swnllyd neu am achosi 'annifyrrwch'.

Byddai pwerau stopio a chwilio estynedig yn gadael i'r heddlu dargedu pobl sy'n cael eu hamau o gario unrhyw beth y gellid ei ddefnyddio mewn protestiadau. Gallai difwyno cerfluniau, fel yr hyn a welwyd yn rhan o brotestiadau BLM ym Mryste, arwain at ddedfryd o ddeng mlynedd yn y carchar. Lleiafrifoedd a chymunedau difreintiedig fyddai'n cael eu heffeithio'n bennaf.

Mae protestio yn sylfaenol i ddemocratiaeth. Mae'r ffaith bod y llywodraeth wrth-ddemocrataidd yn San Steffan am ffrwyno'r hawl i brotestio yn gwneud y casgliad yn glir: nid yn unig y mae protestio yn allweddol wrth amddiffyn y ddemocratiaeth sydd gennym, bydd yn allweddol i ennill y ddemocratiaeth yr ydym yn ei haeddu.

'If you are neutral in situations
of injustice, you have chosen
the side of the oppressor.'

Desmond Tutu

MWY NA SGWARIAU DU

Nia Morais

Bu farw Michael Brown yn 2014, a gwyliais i'r terfysgoedd yn Ferguson, Missouri yn digwydd dros ffrwd fyw a gafodd ei rhannu ar Tumblr. Eisteddais o flaen sgrin fy laptop, fin nos, yn tecstio ffrindiau – "Wyt ti'n gweld be fi'n gweld?" Ar y sgrin roedd protestwyr yn rhedeg i ffwrdd oddi wrth yr heddlu. Roedd nwy dagrau yn llenwi'r awyr.

Be allen ni ei wneud? Roedden ni'n eistedd filoedd o filltiroedd i ffwrdd, heb unrhyw bŵer i ymyrryd, yn gobeithio y byddai'r protestwyr yn saff rhag yr heddlu. Arhosodd y terfysgoedd yna yn fy nghof; do'n i byth eisiau gweld y fath beth yn digwydd eto, ond ro'n i hefyd yn siŵr fod y fath brotest yn angenrheidiol er mwyn newid y system hiliol.

Dyna oedd y tro cyntaf i fi weld protestiadau o'r fath, ac roedd hi'n swreal eu gwylio yn digwydd ar-lein. Yn fy mywyd bob dydd, roedd popeth yn cario 'mlaen fel petai dim byd wedi digwydd, ond ar-lein clywais gannoedd o leisiau yn galaru ac yn ceisio trafod beth i'w wneud nesaf. Roedd angen i ni newid pethau, a hynny'n sydyn.

Ar 6 Mehefin 2020, bron i chwe blynedd ar ôl hynny, ac ar ôl i'r heddlu lofruddio pobl ddu di-rif, ymunais â thua 2,000 o brotestwyr eraill ym Mharc Bute, Caerdydd er mwyn protestio ynghylch llofruddiaeth George Floyd. Dyma oedd un o'r protestiadau mwyaf dros y mudiad Mae Bywydau Du o Bwys (Black Lives Matter) dros y DU i gyd.

Ond beth oedd wedi newid mewn gwirionedd ers i Michael Brown farw? Roedd pobl ddu yn dal i farw; yr unig wahaniaeth oedd bod y llofruddiaethau yma nawr yn mynd yn *viral* bob mis, cyn cael eu hanghofio gan y rhan fwyaf o bobl – tan y tro nesaf. Roedd teimlad fod cenhedlaeth gyfan o ddynion du mewn perygl, ac roedd cymunedau yn poeni mai dim ond mater o amser fyddai hi cyn darganfod pwy fyddai'n cael eu henwi yn yr hashnod #JusticeFor nesaf. Ond, yn union fel fy mywyd i yn 2014, roedd bywyd normal yn parhau'n ddi-stop, fel carwsél mewn ffair, yn cyflymu bob eiliad. Ac yna fe ddaeth y pandemig.

Digwyddodd y brotest yng Nghaerdydd yng nghanol y clo mawr. Wrth gerdded i mewn i'r parc a gweld cymaint o bobl, roedd yn hawdd dechrau teimlo'r pryder oedd erbyn hyn yn gyfarwydd iawn wrth feddwl am y feirws newydd oedd wedi stopio'r clociau ar ein bywydau. Yn y dorf ffeindiais fy chwaer a fy nhad, yn gwisgo menig enfawr ar eu dwylo er mwyn dal eu placardiau i fyny'n uchel. Dôi pob gwaedd o'r tu ôl i fwgwd neu orchudd wyneb, ac roedd rhybuddion aml i gadw pellter o leiaf chwe throedfedd oddi wrth y protestwyr eraill yn dod dros yr uchelseinydd yng nghanol y cae.

Er bod teimlad ein bod ni'n rhoi ein hunain mewn perygl wrth gymryd rhan, roedd hi'n brotest heddychlon. Roedd pawb yn teimlo'n rhan o rywbeth, fel petai sbarc o gefnogaeth yn pasio o berson i berson wrth siarad. Ond, y tu allan i'r parc, roedd y brotest yn bwnc dadleuol iawn. Pam protestio yng nghanol pandemig, pan mae pethau llawer mwy pwysig i boeni amdanyn nhw? Pam mentro dal y feirws er mwyn dangos cefnogaeth i rywbeth ddigwyddodd ymhell i ffwrdd dros y môr?

Dwi'n credu bod rhan fawr o bwysigrwydd ac angerdd y brotest hon yn deillio o amodau'r cyfnod clo. Roedd pawb yn styc yn y tŷ, heb ddim byd i'w wneud ond sgrolio trwy ein timelines ni wrth i'r fideo basio heibio eto ac eto, ein calonnau'n curo, a geiriau olaf George Floyd yn atseinio yn ein clustiau: "I can't breathe. I can't breathe." Ar ôl gwrando am flynyddoedd ar yr esgus bod dioddefwyr du yn euog, roedd prawf gweledol yma fod y dioddefwr yn ddiniwed. Wrth gwrs, hyd yn oed pe bai George Floyd wedi gwneud rhywbeth anghyfreithlon, doedd dim modd cyfiawnhau ei drin mewn ffordd mor greulon.

Do'n i ddim wedi gwylio'r fideo; do'n i ddim eisiau cyfrannu at drawma oedd wedi bod yn tyfu ers blynyddoedd, wrth ddarllen am y cannoedd o bobl ddu a gafodd eu lladd gan yr heddlu bob blwyddyn yn UDA. Roedd y galar hwn yn drwm, yn gyfarwydd, ac yn beryg o wneud i mi deimlo'n anobeithiol. Ar fore'r brotest, sgwennais i'r slogan 'How many more have to die?' ar ddarn o gardfwrdd. Faint mwy o bobl oedd yn mynd i farw er mwyn i bawb gymryd sylw?

Dwi'n cofio gweld negeseuon ar Facebook yn condemnio unrhyw un aeth i'r protestiadau – llawer yn dadlau nad oedd pwynt protestio dros rywbeth nad oedd ddim yn perthyn i ni o gwbl. Teimlais fy stumog yn corddi wrth eu gweld. Hyd yn oed mewn cyfnod o bryder fel hyn, buasai hi wedi bod yn hawdd iawn wrth brotestio yn erbyn anghyfiawnder i ni gwympo i'r trap o deimlo unwaith eto mai ni oedd ar fai – am ledaenu'r feirws, am gynyddu nifer yr achosion positif yng Nghaerdydd.

Ond y gwir oedd hyn: roedd pawb oedd yn y brotest yn teimlo'r un pryder, ond roedd rhywbeth llawer mwy pwysig i boeni amdano yn y foment honno na Covid. Ro'n i, a llawer o bobl eraill, yn teimlo bod codi llais yn werth y risg. Oherwydd roedd trais yn erbyn pobl ddu yn fath arall o bandemig; un oedd wedi bod yn ein lladd ni ers canrifoedd.

Ac, o'r diwedd, roedd pobl yn talu sylw.

Ond gyda'r sylw yma, fe ddaeth problem arall. Ar y dechrau, roedd y cyfryngau cymdeithasol yn llawn sgwariau du. Roedd pawb yn cymryd rhan ac yn addo cymryd cam yn ôl a gwrando. Daeth y sgyrsiau gwrth-hiliaeth o'r cyrion ac yn rhan o'r sgwrs gyhoeddus. Roedd pob un cyflogwr yn sydyn yn edrych am 'bobl BAME', 'pobl ddifreintiedig', 'pobl nad oedden nhw'n wyn'. Er ein bod ni wedi bod yn codi'n llais cyhyd, roedd lleisiau pobl ddu yn sydyn yn ffasiynol, fel petai ganddon ni bwysigrwydd cymdeithasol nawr lle doedd dim o'r blaen.

Mae'n rhaid i mi gyfaddef i mi deimlo'n ysbrydoledig i ddechrau, ond daeth llais chwerw i mewn i fy mhen wedyn, i rybuddio ei bod yn naïf i gredu y buasai pethau'n newid o gwbl, neu o leiaf gydag unrhyw gyflymder. Roedd llawer o bobl ddu yn iawn i fod yn wyliadwrus. Diflannodd nifer o'r cyfleoedd yma ymhen misoedd, ar ôl i'r cwmnïoedd gasglu digon o gymeradwyaeth am esgus gwneud y peth iawn.

Ond er bod y cyfryngau cymdeithasol wedi cyfrannu at y math yma o weithredu perfformiadol, maen nhw hefyd wedi ein helpu ni i drefnu, i addysgu ac i godi ymwybyddiaeth. Mae llawer o bobl yn credu bod platfformau fel Twitter wedi cyfrannu at ddatblygu haid o keyboard warriors yn y genhedlaeth ifanc. Mae'n wir fod yna wastad risg o gwympo i mewn i feddylfryd rhy 'binary', gan anghofio fod person go iawn yr ochr arall i'r sgrin. Ond ar y cyfan, mae'r cyfryngau cymdeithasol wedi ein helpu ni fel cenhedlaeth i newid y naratif mewn nifer o sgyrsiau cyfoes.

Os nad ydych yn cael eich effeithio gan hiliaeth, efallai eich bod wedi eich effeithio gan ableddiaeth, homoffobia neu drawsffobia. Felly, mae natur agored a chyhoeddus y disgwrs sy'n digwydd ar Twitter, Instagram a TikTok nid yn unig yn ein helpu ni i ddysgu am broblemau ro'n ni'n anwybodus yn eu cylch o'r blaen fel micro-ymosodiadau, ond mae hefyd yn rhoi siawns i ni ddatblygu ein hempathi naturiol ar gyfer materion sydd ddim yn cael effaith uniongyrchol arnon ni.

Does dim digon wedi newid ers 2020, ond heddiw rydw i'n parhau i gredu fod protestiadau'r haf hwnnw wedi bod o fudd i ni wrth godi llais. Daethon ni at ein gilydd i brotestio yn bennaf yn erbyn llofruddiaeth George Floyd gan yr heddlu yn Minnesota, ond roedd y protestio hefyd am rywbeth mwy. Roedden ni i gyd wedi blino. Wedi blino ar gael ein hanwybyddu, wedi blino ar beidio cael yr un cyfleoedd gwaith ac addysg, ac wedi blino ar fod yn ofnus bob tro ro'n ni'n gweld aelod o'r heddlu yn cerdded i lawr y stryd, neu weld gweithiwr siop yn ein dilyn rhwng y reiliau ddillad.

Roedd gan bawb a ddaeth i'r brotest rywbeth pwysig i'w ddweud, oedd wedi bod yn pwyso'n drwm ar eu brest, ac o ganlyniad, dwi erioed wedi teimlo'r fath sbarc mewn torf o bobl o'r blaen. Roedd angerdd y dorf yn drydanol, a rhoddodd hyn y cyfle i bawb a ddewisodd siarad i deimlo cefnogaeth a chydymdeimlad miloedd o bobl. Ges i'r teimlad fod pobl o'r diwedd yn teimlo'r pwysau yn codi, o leiaf dipyn bach, ynghanol y galar a'r dicter dros y llofruddiaeth.

Roedden ni i gyd yn barod am newid. Roedden ni eisiau trafod sut i roi stop ar bob math o anghyfiawnder, nid hiliaeth yn unig. Mae'n amhosib gwahanu materion fel hiliaeth ac anghydraddoldeb incwm mewn pandemig, pan mae'r risg o farw o Covid bedair gwaith yn uwch i bobl ddu na phobl wyn, yn ôl yr ONS yn 2020. Mae'n amhosib gwahanu hiliaeth ac ableddiaeth mewn cymdeithas lle mae pobl ddu ag awtistiaeth yn cael eu lladd gan wasanaethau argyfwng am edrych yn "sketchy" yn y stryd, fel ddigwyddodd i Elijah McClain yn 2019. Felly teimlais fod yna fomentwm i'w gael o brotestio fel hyn. Roedd cyfrifoldeb arnon ni i brotestio yn erbyn anghyfiawnder hiliaeth, er mwyn teimlo ein bod yn gallu ymladd yn erbyn pob anghyfiawnder.

Mae'n hawdd teimlo fel petai hon yn dasg lethol, ond dwi'n credu bod yna gryfder mewn niferoedd. Beth sy'n bwysig yw dechrau ar lefel leol. Mae yna brawf o hyn i'w weld ym mhrotestiadau 2021, ar ôl i Mohamud Mohammed Hassan a Moyied Bashir farw ar ôl triniaeth dreisgar gan yr heddlu ym Mae Caerdydd a Chasnewydd.

Hefyd, i mi yn bersonol, roedd gwneud ymchwil i etifeddiaeth arweinwyr lleol fel Betty Campbell yn atgyfnerthol iawn. Gweithiodd Betty drwy gydol ei bywyd i ddysgu plant Butetown am hanes pobl ddu yng Nghymru ac ar draws y byd, a dwi'n cytuno ei bod hi'n hollbwysig i ni ddysgu am y rôl a chwaraeodd Prydain mewn lledaenu caethwasiaeth. Gydag addysg fe ddaw mwy o barch at hanes pobl ddu a'u rôl yn y gymdeithas, felly mae'n gam yn y cyfeiriad cywir fod eu hanes yn cael ei roi ar y cwricwlwm yng Nghymru o'r diwedd. Mae placardiau o'r brotest bellach mewn arddangosfa yn Amgueddfa Werin Cymru, Sain Ffagan, ac mae hynny hefyd yn amlygu pwysigrwydd y brotest a'i heffaith ar ein cymuned.

Dangosodd y brotest i ni fod cryfder mewn niferoedd, a chryfder mewn cymuned. Yn lle teimlo'n anobeithiol am yr anghyfiawnder sy'n parhau i gael ei ddatgelu bob dydd, mae angen i ni gofio'r brotest yna ym Mharc Bute a chofio faint o gryfder sydd gyda ni.

Fe wnaeth y brotest honno brofi un peth pwysig iawn i mi: does dim modd anwybyddu ein llais ni fel cymuned mwyach.

'Nonviolence is a powerful and just weapon. It is a weapon unique in history, which cuts without wounding and enobles the man who wields it. It is a sword that heals.'

Martin Luther King Jr.,
Why We Can't Wait

DOES DIM DEWIS OND GWEITHREDU

Dienw

CAFODD MUDIAD GWRTHRYFEL DIFODIANT neu Extinction Rebellion (XR) ei sefydlu yn Hydref 2018 pan ddaeth 1,500 o bobl ynghyd yn Llundain i ddatgan eu gwrthwynebiad i Lywodraeth y DU am y methiant i gymryd camau i fynd i'r afael â'r argyfwng hinsawdd. Ym mis Ebrill 2019 arestiwyd 1,000 o bobl yn Llundain, wrth i'r mudiad dargedu pedwar safle penodol. Cafodd sylw rhyngwladol, ac nid yw'r drafodaeth am yr argyfwng hinsawdd na'r argyfwng ecolegol wedi bod yr un fath ers hynny.

Aed ati i ffurfio grwpiau ar hyd a lled y Deyrnas Unedig, a thu hwnt, ac yn eu plith lu o grwpiau lleol dan faner XR Cymru. Yna, ym mis Awst 2019, cynhaliodd XR Cymru ei brotest ei hun yng nghanol Caerdydd, gan gau Stryd y Castell am dridiau.

Rwy'n cofio mynd am dro yn ystod fy awr ginio i weld y cwch mawr gwyrdd o flaen y castell a rhyfeddu at yr olygfa. Doeddwn i heb weld y fath beth yn y brifddinas o'r blaen. Ac am brotest roedd yr awyrgylch mor braf, gyda phlant yn chwarae yn yr haul heb orfod poeni am draffig, ac ymwelwyr â'u camerâu wrth eu bodd yn tynnu lluniau o'r ymgyrchwyr, rhai ohonynt wedi eu cadwyno eu hunain i'r cwch. Ond eto i gyd roedd y neges mor ddifrifol ac mor glir – gweithredwch nawr.

Pan gyhoeddwyd bod y brotest ar Stryd y Castell yn dirwyn i ben ac y byddai'r cwch yn cael ei symud fel rhan o orymdaith i Neuadd y Ddinas, fe benderfynais i gymryd rhan. Doeddwn i erioed wedi cymryd rhan mewn protest o'r blaen, ond roeddwn i am ddangos fy mod i'n cefnogi'r achos ac yn gwerthfawrogi ymdrechion y grŵp. Felly dyma fi'n ymuno â'r orymdaith gan gerdded yn araf bach, bron yn angladdol, fel pe baen ni'n galaru'r hyn oedd yn digwydd i'r blaned, i fyny'r stryd tuag at Neuadd y Ddinas gan ddal placard roedd rhywun wedi ei roi i mi. Doeddwn i ddim yn disgwyl teimlo'r fath emosiwn ond roedd bod yng nghanol cynifer o bobl oedd yn teimlo mor angerddol am achub dynoliaeth a diogelu'r blaned yn brofiad go ysgytwol, ac mae'n rhaid i mi gyfaddef nad oedd y dagrau yn bell i ffwrdd.

Eto i gyd, wnes i ddim ymuno â'r mudiad bryd hynny. Aeth bywyd yn ei flaen a byddai dwy flynedd arall yn mynd heibio cyn i hynny ddigwydd. Ar lefel unigol, roeddwn i wedi bod yn gwneud newidiadau sylweddol i fy ffordd o fyw ac am gyfnod yn meddwl bod hynny'n ddigon – roeddwn i wedi troi'n figan, gwerthu'r car (nad yw mor anodd â hynny pan ydych chi'n byw yng Nghaerdydd), rhoi'r gorau i hedfan, dechrau mynd i'r siop ail-lenwi leol, a cheisio prynu llai yn gyffredinol, nad yw'n hawdd mewn byd sydd mor gyfalafol. Ond yn araf bach roeddwn i'n sylweddoli nad oedd yn dal yn ddigon ac roedd hynny'n pwyso'n drwm arna i. Y system rydyn ni'n byw ynddi oedd y drwg yn y caws go iawn, felly roedd angen i mi wneud mwy, roedd yn rhaid i mi wneud mwy, ac felly dyma fi yng nghanol Caerdydd unwaith eto yn 2021 i gymryd rhan mewn protest arall.

Gwrthwynebu penderfyniad Cyngor Caerdydd i ailagor Stryd y Castell i gerbydau preifat, ar ôl i'r ffordd gael ei chau yn ystod y pandemig, oedd dan sylw y tro hwn. Protest fach wedi'i threfnu gan glymblaid yn cynnwys XR Caerdydd oedd hi, a'r un oedd y drefn, sef gorymdaith araf o'r castell i Neuadd y Ddinas. Ond yr hyn oedd yn wahanol y tro hwn oedd fy mod i'n barod ac yn ysu i wneud mwy.

Felly, ymhen ychydig ddiwrnodau, ar fore braf o Fehefin, dyma fi'n mentro i Barc Fictoria, nid nepell o'r tŷ, yn Nhreganna, ar gyfer un o gyfarfodydd XR Caerdydd, a dyna oedd dechrau fy nhaith fel ymgyrchydd cyfiawnder amgylcheddol a chyfiawnder cymdeithasol.

Mae'r hyn sy'n cael ei adrodd am fudiad Gwrthryfel Difodiant, yn enwedig yn y wasg adain dde, yn wahanol iawn i'r hyn dwi wedi ei weld a'i brofi. Mae hyd yn oed yr Ysgrifennydd Cartref yn defnyddio termau fel 'terfysgwyr' a 'fandaliaid' i ddisgrifio'r mudiad. Ond pwy yw Gwrthryfel Difodiant go iawn? Y gwir amdani yw mai pobl gyffredin ydyn ni; pobl sydd am weld newid systemig; pobl sydd wedi laru ar 'fusnes fel arfer'; pobl sy'n barod i roi popeth ar y lein; pobl sydd eisiau gwell yfory i ni i gyd. Ac er gwaethaf yr hyn y mae rhai yn ei gredu – wn i ddim sawl gwaith dwi wedi clywed rhywun yn gweiddi "Get a job" wrth i mi gymryd rhan mewn protest – mae'r mwyafrif helaeth ohonon ni yn gweithio, neu'n astudio, neu wedi ymddeol. Ymhlith aelodau XR Cymru mae cyn-bennaeth, ecolegydd, gweithiwr cymdeithasol, cyn-gyfreithiwr, gwyddonydd, darlithydd, plymer a sawl myfyriwr.

Un o'r rhesymau dros ymuno â'r mudiad hwn yn arbennig yw ei fod yn fudiad gweithredu uniongyrchol di-drais (NVDA) ac yn un sy'n mynnu bod pawb yn atebol am eu gweithredoedd, ac mae hynny'n bwysig. Mae unrhyw un sy'n gweithredu yn enw XR yn cytuno i wynebu unrhyw ganlyniadau. Ac mae ein dyled ni'n fawr i'r rheini sydd wedi mynd o'n blaenau. Mae'r hyn a ddywedodd Martin Luther King mor berthnasol i'r hyn y mae Gwrthryfel Difodiant yn ceisio ei gyflawni, sef "the choice today is no longer between violence and nonviolence. It is either nonviolence or nonexistence".

Mae mor syml â hynny yn y bôn, ac erbyn hyn does dim

modd dianc rhag y gwir. Mae'r wyddoniaeth yn gwbl glir, a bob tro mae'r IPCC (Intergovernmental Panel on Climate Change) yn cyhoeddi adroddiad arall mae fy nghalon i'n suddo ychydig yn fwy. Mae ein dyfodol ni fel dynol ryw yn y fantol ac felly, yn fy marn i, does gen i ddim dewis ond gweithredu.

O fewn ychydig fisoedd ar ôl ymuno dyma fi'n teithio i Lundain ar gyfer Gwrthryfel Awst 2021 – pythefnos o brotestio ar raddfa fawr – ac yn sicr, doeddwn i erioed wedi profi'r fath beth yn fy myw. Mae'n anodd disgrifio'r profiad ar bapur, pan fo cynifer o bobl yn dod ynghyd dros achos, ond mae'n gymysgedd o ewfforia, ofn, cyffro, a blinder ymhlith sawl peth arall – ac mae modd teimlo hyn i gyd mewn un bore neu brynhawn. Roedd hawlio'r strydoedd yn ôl, wrth rai o dirnodau mwyaf adnabyddus Llundain, yn brofiad eithaf swrealaidd, mae'n rhaid dweud.

Dyna sut y cefais i fy hun yng nghanol Llundain, gyda Heddlu'r Met ym mhob man, yn codi llais ac yn galw am newid. Ac mae'r berthynas hon, yr un rhwng ymgyrchwyr Gwrthryfel Difodiant a Heddlu'r Met yn benodol, yn agwedd bwysig ar ein tactegau ni. Rhown bwysau arnyn nhw er mwyn rhoi pwysau ar Lywodraeth y DU ac mae'n debyg iawn i gêm 'llygoden a chath', ys dywed y Sais.

Am bob unigolyn sy'n cael ei arestio yn enw Gwrthryfel Difodiant – ac nid ar chwarae bach y mae rhywun yn gwneud y fath benderfyniad – mae yna dîm o bobl yn gweithio'n ddiwyd yn darparu cefnogaeth, gan gynnwys criw llesiant, arsylwyr adeg arestio rhywun, a thîm i gyfarch ymgyrchwyr wrth iddynt gael eu rhyddhau o orsaf heddlu. A dyna reswm arall dros ymuno â'r mudiad – yr ymdeimlad o berthyn, o deulu, o gymuned glòs. Mae yna rôl i bawb ac yn sicr, nid oes angen na disgwyl i bawb sy'n ymuno gael eu harestio.

Dwi heb gael fy arestio wrth ymgyrchu eto – dwi wedi penderfynu nad ydw i'n barod i fynd mor bell â hynny ar hyn o bryd, er wrth gwrs, nid fi biau'r penderfyniad hwnnw mewn gwirionedd – a bydda i'n aml yn gofyn i mi fy hun 'pam nad wyt ti'n barod i wneud?', 'beth sydd mor wahanol amdanat ti?', 'pam na elli di wneud y fath aberth os wyt ti'n teimlo mor gryf am hyn i gyd?' Mae fy nyled i'n fawr i bawb sydd yn barod i gael eu harestio, wynebu achos llys a hyd yn oed ddedfryd o garchar, ac rwy'n llawn edmygedd ohonynt.

Erbyn gwrthryfel Medi 2021 roedd tactegau'r heddlu wedi newid cryn dipyn a'r dewis ddull o ddelio â phrotest oedd drwy ein hamgylchynu – *kettling* yw'r term Saesneg. Felly nid oedd modd rhyngweithio â'r cyhoedd, sy'n rhan bwysig o'r hyn rydyn ni'n ei wneud, ac yn wir, roedd cael ein hynysu fel hyn fel petai'n adlewyrchu'r bwlch enfawr sydd rhwng yr hyn rydyn ni'n galw amdano a'r hyn y mae'r rheini sydd mewn grym yn barod i'w wneud.

Y profiad mwyaf uniongyrchol a gefais i o'r heddlu yn

ystod fy wythnos yn Llundain oedd bod yn destun stopio a chwilio – y tro cyntaf erioed i hynny ddigwydd i mi. Mae'n dacteg a ddefnyddir yn aml pan fydd yr heddlu yn gwybod ein bod ni'n ymgynnull mewn man penodol, ac mae'r mudiad yn agored iawn am ei gynlluniau, felly nid yw'n anodd dod o hyd i'r fath wybodaeth.

Digwyddodd am y tro cyntaf yng nghysgod cadeirlan St Paul's un bore lle roeddwn i'n cwrdd â'r tîm cymorth rydw i'n rhan ohono. Ceisio bod yn dyst i rywun arall oedd yn cael y profiad hwnnw oeddwn i, ond buan iawn y sylweddolodd un o'r swyddogion fy mod i hefyd yn un ohonyn 'nhw'. Ni wnaeth bara'n hir – edrychodd un heddwas, menyw, drwy fy mag ac edrychodd yr heddwas arall, dyn, drwy fy mhocedi. Chwilio am unrhyw beth a allai gael ei ddefnyddio i achosi difrod troseddol oedd y rheswm. Doedd gen i ddim byd o'r fath, felly doedd gen i ddim byd i'w guddio, er bod y fath ddefnydd o bwerau yn teimlo'n gwbl anghyfiawn.

Mae'r fath brofiadau yn tanlinellu pa mor hanfodol yw hi bod unrhyw un sy'n cymryd rhan mewn protest yn gwybod beth yw ei hawliau. Mae'r mudiad yn rhoi llawer iawn o bwyslais ar hyfforddiant, ac ymhlith yr hyfforddiant pwysicaf mae NVDA a Gwybod eich Hawliau, fel bod pawb yn gwybod beth i'w wneud mewn sefyllfaoedd gwahanol, a hefyd yn cwestiynu ac yn herio'r heddlu bob amser. Dyw'r ffaith bod rhywun mewn iwnifform ddim yn golygu y bydd yn ymddwyn yn briodol, rhywbeth sydd wedi dod mor amlwg erbyn hyn.

A nawr wrth gwrs, gyda Deddf yr Heddlu, Troseddu, Dedfrydu a'r Llysoedd ar ei hynt, mae'r hawl ddynol a democrataidd i brotestio mewn perygl, felly rhaid i ni godi llais hyd yn oed yn fwy. Nid dim ond Gwrthryfel Difodiant ond pob un wac jac ohonon ni. Bydd yn effeithio ar bawb ac mae gormod i'w golli.

Mae bod yn rhan o fudiad Gwrthryfel Difodiant wedi tyfu'n rhan bwysig iawn o fy mywyd i erbyn hyn, ac wedi rhoi pwrpas gwirioneddol iddo. Ac mae'r hyn sy'n digwydd ar lawr gwlad lawn bwysiced â'r gwrthryfeloedd mawr sy'n digwydd yn Llundain, os nad yn fwy pwysig; yn wir, heb y grwpiau bach lleol yn gwneud y gwaith caib a rhaw fyddai dim o hynny'n bosibl.

Wrth gwrs, mae'r tactegau yn ddadleuol. Ai rhwystro pobl gyffredin yw'r ffordd fwyaf effeithiol o gyfleu'r neges? Mae llawer iawn yn dweud nad dyna'r ffordd, ac yn wir, mae'r mudiad ei hun wedi dysgu gwersi pwysig ers ei sefydlu ac mae'n dal i ddatblygu. Ond pan nad oes amser ar ôl, a bod yr hyn sydd ar y gorwel mor echrydus, pa ddewis arall sydd? Doedd y swffragetiaid ddim yn boblogaidd ar y pryd chwaith.

Ond onid dyna yw hanfod protest? Tarfu ar fusnes fel arfer a gwneud i sylfeini'r drefn grynu pan godwn ni ein llais? A fyddai llywodraethau'r DU wedi talu cymaint o sylw a datgan argyfyngau hinsawdd ac ecolegol heb y fath weithredu ar y pryd? Mae'n bur debyg y byddai'n stori wahanol; yn waeth stori nag yw hi nawr.

Mae ymgyrchu yn gwneud i rywun fentro a herio ei hun, ond mae'n brofiad annifyr rhwystro pobl gyffredin. Rhan o'm rôl i adeg protest yw bod yn un o'r rheini sy'n siarad â gyrwyr a'r cyhoedd yn uniongyrchol pan fydd ffordd brysur yn cael ei blocio er enghraifft, a bod popeth yn dod i stop. Yr hyn y bydda i'n ei ddweud yn aml yw y byddwn i wrth fy modd petai dim angen gwneud y fath beth, ond nad ydw i'n teimlo bod dewis arall. Dyna'r gwir.

A beth am XR Cymru ei hun? Mae'n bwysig iawn i mi fod XR Cymru yn bodoli, a bod gennym ni fel cenedl ein hunaniaeth ein hunain o fewn mudiad sy'n gweithredu ledled y Deyrnas Unedig a thu hwnt. Yn amlwg, mae datganoli yn ystyriaeth hollbwysig, ac mae'r hyn a wnawn yng Nghymru yn cydnabod bod gwahaniaeth rhwng yr hyn sy'n cael ei benderfynu ym Mae Caerdydd a San Steffan.

Manteisiwn ar hynny i sicrhau bod mynd i'r afael â'r argyfwng hinsawdd a'r argyfwng ecolegol ar frig yr agenda yng Nghymru, a bod ein gwleidyddion ni'n cael eu dwyn i gyfrif.

Rwy'n byw yn y brifddinas, ac yn ôl y rhagolygon bydd rhannau sylweddol ohoni dan ddŵr erbyn 2050 os na chymerir camau breision. Mae hynny'n tanlinellu realiti'r sefyllfa rydyn ni ynddi. Nawr yw'r awr; bydd yfory yn rhy hwyr.

A phan fydd XR Cymru yn mynd i Lundain, chwifiwn faner y ddraig goch yn uchel ac yn falch. Ac mae'r Gymraeg yn rhan bwysig o hynny. Er mai lleiafrif ohonom sy'n medru'r iaith, mae'n cael ei pharchu a'i defnyddio fel rhan o'n hymgyrchoedd. Cafodd testun un o'r baneri Cymraeg a ddefnyddiwyd wrth ymgyrchu y tu allan i swyddfeydd Cyllid a Thollau EM yn Whitehall yn 2021 ei ddyfynnu yn *The Guardian* hyd yn oed, wrth iddo adrodd ar y protestiadau. Felly mae'n bwysig bod y Gymraeg yn cael lle amlwg, nid yn unig ar faneri, ond hefyd ar y cyfryngau cymdeithasol ac ar daflenni ac ati. Ac mae gennym ni hyd yn oed dîm cyfieithu a llefarwyr Cymraeg i wneud yn siŵr bod yr iaith yn cael ei gweld a'i chlywed gymaint â phosibl.

Mae sawl cwestiwn yn cael eu gofyn bellach am ddyfodol y mudiad a'r trywydd y dylai ei ddilyn erbyn hyn. Mae cynrychiolaeth yn dal i fod yn broblem – mae'r feirniadaeth mai mudiad gwyn dosbarth canol ydyn ni yn un ddilys ond nid yw'n unigryw i XR ym maes ymgyrchu amgylcheddol – ac mae'n wir mai'r rheini sydd mewn sefyllfaoedd breintiedig sy'n gallu cymryd rhai camau, yn enwedig mewn perthynas â'r heddlu a'r system gyfiawnder. A beth os nad yw'r Llywodraeth yn dal i wrando a gweithredu go iawn? Beth wedyn? Mae sawl grŵp arall wedi dod i'r amlwg yn barod, sy'n defnyddio tactegau llawer mwy dadleuol, ac mae'n siŵr y bydd llawer mwy. Amser a ddengys felly.

Mae'r sefyllfa rydyn ni ynddi yn un arswydus ac eto nid yw llywodraethau, ledled y byd, yn gwneud digon o hyd i geisio ein diogelu rhag y gwaethaf. Mae gwybod hynny'n gallu ei gwneud hi'n anodd i gadw fynd ac weithiau dwi'n gofyn i mi fy hun, 'beth yw'r pwynt?' ond yna daw llygedyn o obaith o rywle sy'n ddigon i wneud i mi ddyfalbarhau, i godi llais, i geisio gwneud gwahaniaeth, i weithredu nawr.

'Nid dim llai na chwyldroad yw adfer yr iaith Gymraeg yng Nghymru. Trwy ddulliau chwyldro yn unig y mae llwyddo.'

Saunders Lewis, Tynged yr Iaith, 1962

GB1510 A'R DDEDDF EIDDO

BRANWEN NICLAS

"TAKE YOUR CLOTHES OFF, sit down and put your feet up there," meddai'r wyneb sarrug wrtha i, gan amneidio at gadair fetel a *stirrups* uwch ei phen. O na, ro'n i am gael *strip search*... Am groeso... Am ddychryn... Yn 18 oed, ro'n i newydd gyrraedd Canolfan Gadw Pucklechurch, fy nghartref am bum diwrnod am wrthod talu dirwyon yn ymwneud ag ymgyrchoedd Cymdeithas yr Iaith dros Ddeddf Iaith Newydd.

Roedd tri ohonom newydd gael ein dedfrydu i saith diwrnod o garchar gan Lys Ynadon Aberaeron – Alun Llwyd, Enfys Llwyd a finnau. Gyda'n bagiau wedi eu pacio roeddem yn barod ac yn disgwyl mynd i'r carchar.

Ond nid oedd angen pacio bag. Tynnwyd popeth oddi arna i a rhestru fy eiddo i gyd cyn eu rhoi mewn bocs dan glo. Ar ôl yr archwiliad bychanol cefais un set sbâr o ddillad isaf yn ôl, a phâr o sgidiau carchar. Estynnwyd brwsh dannedd i mi, bloc o sebon, tywel ac un rôl o bapur tŷ bach oedd yn edrych mwy fel papur gwrth-saim – pob eitem hefo HMP wedi ei farcio'n fras arno. Bath llugoer wedyn mewn stafell ddi-ddrws heb ddim byd ond bath ynddi, i gyfeiliant drysau'n clecian, goriadau'n cloi a merched yn crio.

Cael fy hebrwng yn ddi-sgwrs at fy nghell; y drysau niferus yn cael eu datgloi a'u cloi tu ôl i ni, merched yn cyfathrebu â'i gilydd drwy weiddi o un gell i'r llall. Cyrraedd ein coridor ni – yr Adain Ieuenctid – a datgloi un o'r celloedd. Y sgriw ddim yn ein cyflwyno ni i'n gilydd, dim ond "This is it" a chloi'r drws. Byncs, bwrdd, cwpwrdd, un gadair ac ar y gwely top, merch yn eistedd, a chael tipyn o sioc o weld 'mêt' newydd yn cyrraedd mor hwyr ar nos Wener gŵyl banc Calan Mai.

Diolch byth, roedd Kerry'n glên. Rhannwyd cell a phenwythnos; rhannwyd ing ei magwraeth, y rhesymau dros ei hunan-niweidio poenus a'i chaethiwed i heroin. Roedd ei phrofiadau hi mor, mor wahanol i'm rhai diniwed i. Roeddwn mewn byd gwahanol.

I Kerry roedd y diolch nad oedd y penwythnos cynddrwg â'r hyn a ofnais. Hi ddangosodd i mi sut i ymddwyn ac i ymateb. Roedd yna ffordd benodol o wneud ein tasgau fel slopio allan, sgwrio'r llawr a gwneud ein gwely, neu mi fyddai yna gosb. Hi wnaeth fy arwain a'm hamddiffyn.

Yn sgil y cyflwyniad hwn i fyd carchar, doedd arna i ddim ofn mynd yr eilwaith, a threuliais ddeg diwrnod yng ngharchar Risley yn Warrington yn Ionawr 1990; eto yn sgil gwrthod talu dirwy ar ôl gweithredu. Roedd Heddlu Gogledd Cymru ar y pryd yn gyndyn o ddefnyddio'r Gymraeg – hyd yn oed yn gwrthod gwneud y pethau syml rydym heddiw'n eu cymryd yn ganiataol fel rhoi'r gair 'Heddlu' ar eu ceir. Felly, peintio cerbyd a swyddfa heddlu Bangor wnes i bryd hynny fel rhan o'r ymgyrch Deddf Iaith. Roedd Risley'n lle caletach, a'r tro hwn dim ond fi oedd yn mynd i'r carchar. Roedd hi'n gyfnod oer, yn wyliau Nadolig ac mi ro'n i'n sâl.

Ond unwaith eto, datblygodd cyfeillgarwch rhyngof i a fy mêt yn y gell – merch oedd yno am wrthod talu dirwyon am wneud gwaith rhyw. Rhannodd hithau hefyd ei hanesion. Cafodd ei defnyddio a'i cham-drin ers blynyddoedd, a dan orchymyn ei phimp cafodd hyd yn oed ei gyrru allan i 'weithio' ar ddydd Nadolig. Roedd hi'n falch o gael dod mewn i'r carchar i gael seibiant. Lloches a rhyddid diogel oedd cyfnod mewn carchar iddi hi.

★★★

Ar ôl gadael y coleg daeth Alun Llwyd yn Gadeirydd y Gymdeithas a Huw Gwyn a finnau'n Drefnyddion y Gogledd.

Roedd yr ymgyrch 'Nid yw Cymru ar Werth' yn ei hanterth gan i brisiau tai gynyddu'n aruthrol ddiwedd yr 1980au. Roedd llywodraeth Thatcher wedi preifateiddio'r stoc dai cyngor, a'r stoc dai cymdeithasol yn fychan. Daeth bri ar brynu tai haf; symud neu ymddeol i ardaloedd prydferth o Gymru. Roedd modd gwerthu tŷ yn ne-orllewin Lloegr am grocbris a phrynu tŷ yng nghefn gwlad Cymru am lawer llai, gan wneud elw enfawr. Mewn rhai ardaloedd roedd yr arwerthwyr tai ar agor ar ddyddiau Sul er mwyn denu prynwyr. Gwelwyd newidiadau dramatig o ran gallu pobl i brynu neu rentu tai lleol. Drwy ein gwaith gyda'r Gymdeithas roeddem yn gweld y newid ieithyddol a demograffig ac yn derbyn cwynion cyson am y mewnfudo a'r allfudo drwy Gymru.

Roedd Grŵp Cynllunio'r Gymdeithas yn ymchwilio i atebion realistig i'r argyfwng, ac yn gweithio ar ddogfen fanwl a ddatblygodd i fod yn Llawlyfr Deddf Eiddo. Lansiwyd y llawlyfr gan y Gweithgor Deddf Eiddo yn Hydref 1990. Ni oedd y mudiad cyntaf i gynnig atebion ymarferol a chynhwysfawr i'r argyfwng tai yng Nghymru.

Y prif alwadau oedd yr angen i:

- asesu'r angen lleol am dai;
- sicrhau bod tai ac eiddo ar gael i bobl am rent teg;
- roi cymorth i brynwyr tro cyntaf, ac i gynnig cynlluniau rhan-ddeiliadaeth;
- roi blaenoriaeth i bobl leol yn y farchnad dai, gan gynllunio ar gyfer y gymuned, ac ar sail barn y gymuned, i ailasesu caniatâd cynllunio a roddwyd yn y gorffennol.

Roedd Alun a finnau'n gweld yr ymgyrch yma'n hollbwysig. Gallai'r polisïau hyn warchod pobl, iaith a chymunedau ym mhob ardal o Gymru. Byddai gweithred fawr gan ddau aelod blaenllaw yn adlewyrchu difrifoldeb y sefyllfa. Roeddem yn barod i weithredu o ddifri, ac i wynebu carchar.

Roedd gan Alun a fi flynyddoedd o brofiad o weithio hefo'n gilydd yn rhedeg y Grŵp Statws, sef yr ymgyrch dros Ddeddf Iaith Newydd. Roeddem yn ffrindiau gorau; wedi rhannu tŷ am flwyddyn hefo'n gilydd, ac wedi byw a bod ynghanol bywyd Cymdeithas yr Iaith ers ein dyddiau cyntaf ym Mhrifysgol Aberystwyth. Roedd ein perthynas bersonol a gwleidyddol yn un ddwys.

Penderfynwyd y byddai'r weithred yn digwydd yn nyddiau cyntaf Ionawr 1991, er mwyn cychwyn y flwyddyn gyda galwad a safiad cryf dros Ddeddf Eiddo. Byddai'n gosod ein gofynion ar agenda gwleidyddol a chymdeithasol Cymru am y flwyddyn, gan godi statws yr ymgyrch. Y targed oedd swyddfa etholaeth yr Ysgrifennydd Gwladol, David Hunt yn Hoylake ar y Wirral. Byddai hynny gobeithio'n rhoi neges glir i'r wladwriaeth Brydeinig hefyd. Ym mis Rhagfyr aeth Angharad Tomos a mi i wneud yr ymchwil, gan allu cerdded i mewn i'r adeilad yn hollol ddidrafferth a dod o hyd i swyddfa David Hunt ar y llawr cyntaf. Aeth Angharad wedyn draw i Ballygurteen yn Iwerddon i ysgrifennu am rai misoedd. Ar ôl y Nadolig es allan ati am wythnos o wyliau.

Y noson cyn i mi hwylio'n ôl i Gymru roedd angen gwneud galwad ffôn i gadarnhau fy mod ar fy ffordd yn ôl, a gweld a oedd y trefniadau'n sefyll ar gyfer y noson ganlynol. Y neges a gefais oedd "bod y parti'n dal ymlaen ond bod y lleoliad wedi newid". Roedd hyn yn benbleth wedi'r holl waith ymchwil. Daeth aelodau o'r Gymdeithas i'm cyfarfod oddi ar y llong, ac fe rannwyd y newyddion. Roedd Alun wedi cael traed oer oherwydd uchder y swyddfa (roedd yn uchel iawn ar y llawr cyntaf), felly swyddfa addysg y Llywodraeth yng Ngholeg Llandrillo-yn-Rhos oedd y targed bellach. Siom braidd ar y pryd, ond ymlaen â ni!

Noson y weithred cawsom ein casglu o dŷ fy rhieni tua hanner nos, ac ymlaen â ni i Landrillo-yn-Rhos i gyfeiliant caneuon Steve Eaves. Roedd hi'n noson oer ond yn sych a chlir – perffaith. Torrwyd y ffenest, aethom i mewn a dechrau ar ein gwaith o greu difrod. Roeddem wedi disgwyl i larymau diogelwch ganu, ond na, dim byd ond tywyllwch a thawelwch. Roedd chwistrellwr paent yr un gennym, felly aethom ati i ysgrifennu sloganau ar y waliau, chwistrellu offer, gwneud llanast.

Oedd yna larwm tawel tybed? Doedd dim seirenau heddlu i'w clywed na sŵn unrhyw gar yn agosáu. Yn y diwedd roedd rhaid ffonio'r heddlu ein hunain; dweud ein bod ni, aelodau o'r Gymdeithas, wedi torri i mewn ac yn derbyn cyfrifoldeb am ein gweithred. Yna, torri'r wifren ffôn. Ac aros.

Cyrhaeddodd yr heddlu, fe'n harestiwyd ac aed â ni i Swyddfa Heddlu Bae Colwyn. Yn y celloedd bu'r heddlu'n llawdrwm, yn gwneud pob math o honiadau am y naill wrth y llall a defnyddio technegau meddyliol amheus. Cawsom ein holi droeon, ar dâp, heb dâp, a gwnaed lled-fygythiadau yn ein herbyn. Yr un oedd ein hatebion – ein bod wedi gweithredu'n uniongyrchol yn y dull di-drais ac yn cymryd cyfrifoldeb llawn am y weithred fel rhan o'r ymgyrch Deddf Eiddo. Heblaw hynny, dweud dim.

Roeddem yn disgwyl cael ein rhyddhau fore trannoeth yn hawdd. Wedi'r cwbl, roedd yna gìg Steve Eaves wedi ei threfnu yng Nghlwb Criced Bangor ac roeddem i fod i ymddangos ar y llwyfan i sôn am y weithred! Ond daeth prynhawn a nos Wener, a doedd dim sôn am gael ein rhyddhau. Dywedwyd wrtha i na fyddwn yn debygol o weld y gìg honno, nac unrhyw gìg arall yn fuan. Dywedwyd wrtha i na fyddwn yn gweld fy nheulu na'm ffrindiau am amser hir. Yn araf, gwawriodd y sefyllfa arna i. Roedd yr heddlu am wrthod mechnïaeth inni.

I gael yr hawl i'n cadw i mewn roedd angen galw achos llys brys. Felly fore Sadwrn aethom o flaen Llys Ynadon Bae Colwyn mewn achos arbennig, lle y llwyddom i gael mechnïaeth, ar yr amod na fyddem yn teithio dramor nac yn torri'r gyfraith. Roedd y wasg yn bresennol a chriw da wedi dod yno i'n cefnogi, y cnewyllyn fyddai'n rhoi cymaint o'u hamser a'u hegni i'n cefnogi ni a'r ymgyrch dros y misoedd oedd i ddod.

Bu'n fisoedd o aros am ddyddiadau achosion llys, gyda lleoliadau a dyddiadau'n cael eu newid yn barhaus – oedd yn achosi dryswch i ni fel unigolion, ac yn peri anhawster wrth gynllunio ymgyrch a chyhoeddusrwydd. Ond bwriodd pobl ati, ac roedd y ffaith bod dau aelod yn aros achos llys yn rhoi ffocws ac wedi codi proffeil yr ymgyrch yn syth. Trefnwyd protestiadau a chyfarfodydd yn galw am Ddeddf Eiddo a bu'n destun trafod cyson ar y cyfryngau. Wedi'r cwbl, roedd y syniad mor radical – rheoleiddio'r farchnad rydd!

Roedd y wladwriaeth yn sicr yn cadw golwg ar ein hachos, ac yn sydyn fe honnwyd ein bod wedi gwneud gwerth £64,000 o ddifrod. Cyflog blynyddol cyfartalog y DU ar y pryd oedd £13,760. Do, fe wnaethom ddifrod a gwneud llanast ond nid malurio'r lle'n llwyr, a doedd dim perygl i fywyd unrhyw berson.

O'r diwedd cawsom y dyddiad a'r lleoliad ar gyfer ein hachos terfynol – Medi 4ydd, 1990, yn Llys y Goron yr Wyddgrug. Wrth gwrs, roeddem yn disgwyl cael ein carcharu, ond ddim yn siŵr am ba mor hir, yn enwedig gyda'r honiad ein bod wedi cyflawni gwerth £64,000 o ddifrod a'r cyhuddiad difrifol o fwrgleriaeth. Dywedwyd wrthym y gallem ddisgwyl cyfnod o bum mlynedd dan glo.

Drwy alw Meurig Parri, un o aelodau'r Gymdeithas oedd yn arbenigwr technoleg, gostyngwyd y difrod i £18,000. Y ddedfryd oedd deuddeg mis o garchar, gyda chwe mis wedi ei ohirio. Daeth cannoedd o gefnogwyr i'r achos llys, oedd yn hwb i'r ymgyrch ac i ni'n bersonol.

★★

Anfonwyd fi i Ganolfan Gadw Risley y noson honno, lle roeddwn wedi treulio deg diwrnod ym mis Ionawr 1990. Y tro hwn, roeddwn yn gwybod na fyddwn yn rhydd tan o leia fis Rhagfyr. Yn 1990, fy swydd yn Risley oedd sgriwio'r tri sgriw bach o gwmpas ffiwsys mewn plygiau trydan, un o swyddi diflasa'r carchar. Doedd dim rhaid gwneud hynny'r tro yma.

Mae pob carcharor yn cael rhif. Ac wrth eich rhif, nid eich enw, y cewch eich galw. Fel GB1510 y byddwn yn cael fy adnabod o hyn allan. Ar ôl ychydig ddyddiau o waith papur ac addo na fyddwn yn gwneud niwed i fi fy hun na neb arall, cefais wybod y byddwn yn cael fy symud i garchar Categori D, carchar hanner agored. Yr arfer ar y pryd mewn carchardai oedd peidio dweud wrth garcharorion i ba garchar y byddent yn symud, na pha ddiwrnod. Yr unig beth a wyddem oedd y byddai'r rhai hynny fyddai'n cael eu symud yn cael eu deffro cyn y wawr, gorfod pacio'n syth bìn a chael eu rhoi mewn fan ddiffenest cyn i neb arall godi.

Ymhen rhai dyddiau, felly, roeddwn ar fy ffordd i rywle o'r enw Drake Hall. Doedd gen i ddim syniad ble roedd Drake Hall, ac er i mi holi roedd y swyddogion yn gwrthod datgelu hynny. Ysgrifennais adre i holi ble roeddwn i a chael yr ateb, ynghyd â map, yn dweud fy mod ger pentref Eccleshall, rhwng Stafford a Stoke-on-Trent.

O dipyn i beth daeth y newyddion allan fy mod i yn Drake Hall, a dechreuodd y llythyrau gyrraedd. Llythyrau yn cynnwys geiriau o gefnogaeth, cardiau di-ri'n llawn negeseuon diolchgar, cardiau post doniol, cerddi, llyfrau, cylchgronau, gan ffrindiau, teulu, aelodau'r Gymdeithas a phobl nad oeddwn erioed wedi cwrdd â nhw. Daethant yn eu cannoedd. Ac fe gafodd pob un ei ddarllen. Droeon.

Wrth gwrs, y Gymdeithas oedd yn annog pobl i ysgrifennu, a hefyd yn trefnu'r holl weithredoedd a phrotestiadau ar y tu allan i'n cefnogi ni ac i ddwysáu'r galw am Ddeddf Eiddo. Trefnwyd rali bob pythefnos yn ystod ein carchariad. Gwireddwyd y syniad o dargedu'r Ysgrifennydd Gwladol drwy gynnal protest yn etholaeth David Hunt pan arestiwyd Dafydd Morgan Lewis am ysgrifennu slogan ar y swyddfa. Cynhaliwyd protestiadau, ysgrifennwyd llythyrau, trefnwyd digwyddiadau – a meddiannwyd stiwdio *Pawb a'i Farn* yn fyw ar y teledu!

Ar un ystyr, y gwaith hawdd oedd bod yn y carchar. Pawb arall oedd yn gwneud y gwaith ymgyrchu caled ar y tu allan!

Cefais swydd yn y gegin yn Drake Hall: golchi dros 200 o hambyrddau metel ar ôl pob pryd bwyd hefo powdwr golchi llestri erchyll. Ymhen dyddiau roedd fy nwylo'n goch ac wedi chwyddo'n fawr gan ecsema gwael. Cefais ddyrchafiad i'r adran blicio llysiau.

Oherwydd 'ymddygiad da', ymhen rhai wythnosau roeddwn yn cael mynd allan am rai oriau ar ddydd Sadwrn. Treuliwyd ambell Sadwrn yng nghwmni'r teulu a'r lleill yng nghwmni llond car o aelodau'r Gymdeithas. Roedd yn gyfle i gael gwybod beth oedd yn digwydd 'nôl yng Nghymru a sut roedd yr ymgyrch yn datblygu. Gweithiodd nifer o bobl yn ddiflino, yn llythrennol ddydd a nos i ymgyrchu a'n cefnogi.

Yn ystod y carchariad roedd hawl gen i gael un ymweliad bob pythefnos, ond roedd ymwelwyr crefyddol ac o fyd addysg yn gallu ymweld yn ychwanegol, ac yn ddirybudd. Daeth sawl gweinidog i'm gweld, gan gynnwys 'offeiriad' lleol oedd yn dysgu'r Gymraeg. Wedi fy rhyddhau, chlywyd dim siw na miw gan yr offeiriad hwn, ac er ymchwilio, doedd neb erioed wedi clywed amdano. Aelod o'r gwasanaethau cudd ydoedd am wn i. Cefais ymweliadau ychwanegol gan ddau ffrind a lwyddodd, drwy eu swyddi, i ymweld â mi – un o Brifysgol Aberystwyth a fynnodd ei fod yn 'ddiwtor personol' i mi (dirprwy warden ym Mhantycelyn), a gweithiwr cyffuriau o Abertawe – a roddodd fi mewn tipyn o ddŵr poeth drwy honni fod gen i broblem cyffuriau cyn dod i mewn i'r carchar fel esgus i ymweld!

Roedd gen i syniad go lew pa fath o ferched fyddai fy nghyd-garcharorion. Rhesymau economaidd, camdriniaeth ac anghyfartaledd cymdeithasol oedd wrth wraidd y mwyafrif o'u troseddau. Ond mewn carchar agored hefyd ceir carcharorion sydd ar ddiwedd dedfrydau hir iawn, fel carchar am oes. Roedd un yn fy holi a oedd hi'n wir bod arian bellach yn gallu dod allan o dwll yn y wal a bod y ciosgs coch wedi newid eu lliw. Roedd hi wedi bod yno ers 1974. Penderfynais y byddwn yn ceisio gwneud y gorau o fy amser yn y carchar, cynnal perthynas hefo'r merched eraill a bod yn rhan o'r gymuned. Wedi'r cwbl, dyma oedd fy nghartref dros dro. Helpais rai carcharorion i ddarllen, ysgrifennais bantomeim ar eu cyfer a cheisio sefydlu rhyw fath o gylchgrawn er mwyn i'r merched gael ysgrifennu'n greadigol – *Women's Writes*. Roedd gan un neu ddwy o'r merched ddawn arbennig i ddarlunio, roedd un arall yn gallu gwneud gwaith cartŵn gwych, ac roedd gan bawb ei stori.

Mae hawl gan bob carcharor i ofyn am ymweliad gan eu Haelod Seneddol hefyd, heb golli ymweliad teulu neu gyfaill. Wyn Roberts oedd fy Aelod Seneddol i, gweinidog yn y Swyddfa Gymreig ar y pryd. Roedd hyn yn ddelfrydol; gallwn ysgrifennu ato i ofyn iddo ymweld â mi yn y carchar a thrafod pam yr oeddwn yno, ac egluro'r angen am Ddeddf Eiddo.

Anwybyddodd Wyn Roberts y llythyrau, ac ysgrifennais lythyr cyhoeddus ato. Anwybyddwyd y cais. Trafodais gydag aelodau'r Gymdeithas y syniad o fynd ar ympryd pe bai Wyn Roberts yn parhau i wrthod y cais. Teimlwn y byddai hyn yn gallu dwysáu'r galw, a rhoi hwb ychwanegol i wythnosau olaf y carchariad.

Roedd y merched yn y carchar yn wych drwy gydol yr ympryd. Doedd fiw i neb o'r staff wybod neu byddwn yn gorfod mynd i'r 'bloc' – yr Uned Gosbi – lle byddwn yn gorfod cael fy nghau i mewn am 23 awr a bod dan oruchwyliaeth gyson. Felly dyma gario 'mlaen fel arfer, ciwio am fwyd ac yna rhannu'r bwyd rhwng hambyrddau fy ffrindiau heb i'r sgriws weld, fel y byddai'n edrych fel pe bawn yn bwyta. Roedd y merched mor gefnogol. Roedd un ferch yn cadw Mars bars yn ei chell ac yn smyglo bara yn ei phoced rhag ofn y byddwn i eisiau bwyta'n gyfrinachol.

Ond yna daeth galwad i fynd i weld y 'Governor'. Roedd o bron cynddrwg â mynd o flaen llys eto. Roeddwn wedi bod o'i flaen unwaith o'r blaen am golli goriad fy nghell i lawr y tŷ bach (stori arall), ac wedi colli breintiau. Y tro hwn roedd o wedi cael galwad ffôn gan rywun 'uchel yn y Swyddfa Gartref' yn holi sut oedd fy iechyd. Roedd y gath allan o'r cwd. Ond nid oedd rhaid i mi fynd i'r bloc a byddai'r dyddiad rhyddhau yn aros yr un fath, ar yr amod y byddwn yn gweld y meddyg ddwywaith y dydd ac yn fodlon cael profion dŵr. Y peth hanfodol i mi oedd cael fy rhyddhau! Ro'n i'n methu aros am hynny, ac roeddwn yn ticio'r dyddiau i ffwrdd ar fy nghalendr gwneud ar y wal ger fy ngwely. Doedd dim llawer i'w ticio i ffwrdd erbyn hyn.

Parhau i wrthod y galwadau i ymweld wnaeth Wyn Roberts, ond o'r diwedd cytunodd i gyfarfod y Gymdeithas yn y flwyddyn newydd, gan wyrdroi polisi'r Toriaid o wrthod ein cyfarfod gan ein bod yn 'derfysgwyr' oedd yn torri'r gyfraith.

★★★

Ar fore oer yn Rhagfyr 1991 cawsom ein rhyddhau o'n carchardai, a'n gyrru gan ein teuluoedd i Theatr Clwyd ar gyfer cynhadledd i'r wasg. Roedd hi bron yn flwyddyn ers y weithred – blwyddyn gafodd ei byw ar wib. Ac roeddem yn syth yn ôl i ganol yr ymgyrchu oedd wedi parhau a dwysáu yn ein habsenoldeb.

Roedd wythnos o gyfarfodydd cyhoeddus wedi ei threfnu dros Gymru i'n croesawu allan, a chawsom ein cyfweld am hanner awr gan Vincent Kane ar *Week in Week Out*. Yna uchafbwynt arall – 'Rhyw Ddydd, Un Dydd' – diwrnod cyfan o gerddoriaeth fyw ar ddau lwyfan yng Nghanolfan Pontrhydfendigaid, gyda dros 30 o fandiau'n perfformio am ddim i godi arian i'r Gymdeithas.

Ymhlith y cardiau a'r blodau i'm croesawu adref roedd

ambell lythyr cas. Dechreuodd ffôn y tŷ ganu a rhywun yn anadlu'n drwm cyn rhoi'r ffôn i lawr. Doedd dim patrwm, a gallai ddigwydd ar unrhyw awr o'r dydd neu'r nos. Cyrhaeddodd sawl nodyn dienw, yn bygwth fy lladd a llosgi cartre fy rhieni i'r llawr.

Wedi ein rhyddhau hefyd roedd 'na flinder; roedd 'na siom. Mae newid yn gallu bod mor boenus o araf. A rhwystredig. Roedd hi'n anodd addasu'n ôl i fywyd arferol. Roedd hi'n anodd gweld ein hwynebau ar bosteri ac arwyddion ffyrdd. Roedd hi'n anodd gwybod beth i'w wneud nesaf, beth a ddisgwylid gennym nesaf, ac i ble roedd yr ymgyrch am fynd nesaf. Yr ochr dristaf oedd y ffordd wnaeth y straen emosiynol effeithio ar berthynas a chyfeillgarwch y ddau berson ynghanol hyn i gyd, a hynny am amser hir iawn.

Gawson ni lwyddiant? Naddo, ni chafwyd deddfwriaeth i reoleiddio'r farchnad dai. Felly parhau wnaeth yr allfudo a'r mewnfudo. Ond tynnwyd pobl o bob oed a chefndir i mewn i'r ymgyrch a chodwyd ymwybyddiaeth o'r argyfwng tai ac eiddo. Argraffwyd crysau-T, rhannwyd miloedd o bosteri a thaflenni. Ymddangosodd sloganau ar waliau. Ysgrifennodd pobl o bob rhan o Gymru atom yn cefnogi'r alwad am Ddeddf Eiddo. Tyfodd gweithgaredd lleol y Gymdeithas, a thaniwyd diddordeb newydd ymhlith pobl ifanc mewn gwleidyddiaeth yng Nghymru. Cynhaliwyd cyfarfodydd gwleidyddol bach a mawr. Lobïwyd cynghorau cymuned a sir i ychwanegu eu llais at yr alwad am Ddeddf Eiddo. Ychwanegodd y byd celfyddydol ei lais i'r achos – yn gyngherddau, arddangosfeydd celf, cerddi, y CD amlgyfrannog *O'r Gad* a'r gyfrol farddoniaeth *Cymru yn fy Mhen*. Bu'n destun trafod chwyrn.

Erbyn hyn, mae'r sefyllfa dai a chartrefi yn ein cymunedau yn fwy argyfyngus nag erioed o'r blaen, a'r angen am Ddeddf Eiddo yn fwy nag erioed o'r blaen. Daeth yr hyn yr oeddem yn rhybuddio amdano yn yr 1980au a'r 1990au yn realiti. Mae sgileffeithiau ychwanegol y pandemig a ffactorau fel Airbnb wedi golygu bod prisiau tai a rhenti yn mynd yn bellach o gyrraedd pobl.

Ond heddiw mae'r hyn oedd yn cael ei ddifrïo a'i sarhau yn y 1990au bellach yn egwyddor sy'n cael ei chymryd o ddifri. Mae mynd i'r afael â'r argyfwng tai yn rhan o Gytundeb Cydweithio Llafur a Phlaid Cymru, a gobeithio y gwelir gweithredu cadarnhaol yn fuan. Er mwyn i'r iaith ffynnu mae'n rhaid iddi fod yn rhan annatod o gynllunio economaidd a datblygu cymunedol.

Unwaith eto, profwyd bod galwadau Cymdeithas yr Iaith o flaen eu hamser; ei fod yn fudiad radical sy'n herio'r drefn er lles pobl a chymunedau Cymru. Bydd mwy o degwch i bobl leol, bydd cymunedau Cymru'n gadarnach a'r iaith yn fwy hyfyw pan ddaw galwadau Deddf Eiddo i rym.

'You don't come out the one time,
you have to do it over and over again because
there is still that assumption you are straight.
Like somebody once said about devolution,
coming out is more of a process than an event.'

Hannah Blythyn, Aelod o'r Senedd

GWNEUD BYWYD YN WERTH EI FYW

DAFYDD FRAYLING

MAE 'PROTESTIO' YN AIR trymlwythog. I rai mae'n golygu codi stŵr diangen, i eraill mae'n ffordd o wneud ein bywyd yn werth ei fyw. I bobl hoyw mae protestio'n rhywbeth gweddol ddieithr. A hawdd deall pam. Pan fo'ch bywyd mor llawn o beryglon, pam tynnu nyth cacwn ychwanegol am eich pen? Ond mae protestiadau hoyw a lesbiaidd yn digwydd. Maent yn amrywio o ysgrifennu llythyrau at y wasg a pheintio sloganau ar wal i orymdeithiau torfol a chwifio baneri. Ond mae pob un â'r nod o newid yr awyrgylch gelyniaethus sy'n ein cwmpasu. Ymladd homoffobia yw targed pob un.

Gall homoffobia olygu ofn neu gasineb sydd, wrth gwrs, yn agwedd neu deimlad. Ond gall hefyd olygu gweithredoedd. Gall y rhain gynnwys rhwystro pobl hoyw rhag cael swyddi, taflu bricsen drwy ffenest, cachu ar stondin hoyw yn y Steddfod (rhagor am hynny yn ddiweddarach) neu ynysu pobl yn gymdeithasol, yn eich stryd neu'ch capel. Mae homoffobia'n fwystfil gyda sawl pen. Weithiau 'trueni' neu 'gydymdeimlad' yw'r wyneb a welwn, yn enwedig gan yr efengylwyr, a chlywn yr hen rigwm 'Maddau'r pechadur, casáu'r pechod'. Ond sut bynnag mae homoffobia'n ymddangos, a pha wyneb bynnag mae'n ei ddangos, mae pobl hoyw'n effro iawn iddo.

Yn ôl rhai, protest Stonewall oedd y brotest hoyw gyntaf. O leiaf, dyna'r stori. Ond byddwn i'n dadlau fod modd ystyried sawl peth arall yn 'brotest', a hynny ganrifoedd cyn haf 1969. Ond o ddilyn y dorf, y brotest a ddilynodd benderfyniad yr heddlu i lansio cyrch yn erbyn tafarn y Stonewall oedd y wreichionen a daniodd fudiad protestio hoyw o'r 1970au ymlaen ym Mhrydain ac America. Wrth gwrs, protestio byrfyfyr gyda photeli a briciau yn erbyn agweddau ffiaidd heddlu Efrog Newydd oedd Stonewall, yn hytrach na rhywbeth a drefnwyd gan grŵp. Ond esgorodd ar sawl mudiad ymgyrchu wedyn a ddechreuodd ymladd dros hawliau pobl hoyw. Ac roedd cynifer o rwystrau a wynebai hoywon yn y blynyddoedd hynny: seiciatryddion, yr heddlu, y llysoedd, y fyddin, cyflogwyr, yr eglwysi ac ati, heb sôn am agweddau cymdeithasol gwrthun. Cymryd enw'r dafarn a wnaeth mudiad Stonewall yn Lloegr a sefydlwyd yn yr wythdegau gan garfan o actorion ac ymgyrchwyr. Sefydlwyd Fforwm Cymru i Lesbiaid, Hoywon a Deurywolion yng Nghymru yn y nawdegau cynnar a aeth ymlaen i ymuno â Stonewall, gan greu'r corff sydd gyda ni o hyd, Stonewall Cymru.

O ran gorymdeithiau mawr a gafodd sylw eang, rhaid crybwyll yr ymgyrch yn erbyn Cymal 28. Nod y Cymal oedd yr ymgais (lwyddiannus) gan Thatcher yn 1988 i wahardd unrhyw sôn am fod yn hoyw yn ein hysgolion. Gadawodd ddisgyblion hoyw a lesbiaidd yn ddigefnogaeth a digyngor ar adeg anodd yn eu bywydau ac mewn awyrgylch digon caled. Yno yn rheng flaen y protestiadau roedd Stifyn Parri, Michael Cashman, Ian McKellen (actorion digon adnabyddus) a Peter Tatchell, bob un yn bloeddio yn erbyn y Cymal. Methiant fu'r protestio serch hynny, a chyrhaeddodd y Cymal y llyfr statud ac aros yno tan 2003 yng Nghymru a Lloegr gan wneud niwed mawr i bobl yn ein system addysg – disgyblion ac athrawon. Ond roedd y protestiadau hefyd yn teimlo fel trobwynt, yn enwedig yn nüwch Prydain Thatcheraidd. Rhaid canmol y lesbiaid yn benodol hefyd am eu protestiadau llawn dewrder a dychymyg yn erbyn y Cymal. Gwnaethant abseilio i mewn i Dŷ'r Cyffredin, ac ymyrryd â darlledu'r newyddion drwy redeg i mewn i'r stiwdio pan oedd y rhaglen yn fyw a thorri ar ei thraws drwy floeddio sloganau.

Wrth gwrs, mae hanes lesbiaid a hoywon mor hir â hanes dynol ryw. Yn ystod y canrifoedd bu sawl ffordd o brotestio yn erbyn cymdeithasau gelyniaethus. Yn y ddeunawfed ganrif, er enghraifft, ceid y tai 'Molly' a oedd yn rhagflaenwyr clybiau hoyw i ddynion gyda'u hieithwedd a'u diwylliant arbennig (roedd 'priodi' yn golygu cael rhyw mewn seremoni ddychanol). Yn y ganrif wedyn roedd sawl hanesyn am lesbiaid a oedd yn dewis gwisgo a byw fel dynion gan ddilyn gyrfâu llwyddiannus fel meddygon neu swyddogion yn y fyddin. Daeth eu cyfrinach i'r fei pan archwiliwyd eu cyrff ar ôl iddynt farw! Er nad amcan y ffyrdd hyn o ymddwyn oedd bod yn agored yn gyhoeddus am eu rhywioldeb, roedd y tai 'Molly' a'r menywod oedd yn dewis byw fel dynion yn ddau beth lled gyhoeddus ac o'u darganfod roedd cosb drom yn dilyn.

Yn y cyd-destun hwn, felly, mae modd hefyd ystyried pethau cyhoeddus fel dillad, ffordd o ymddwyn a defnydd o iaith yn agwedd ar brotest. Mae dillad yn arbennig o amlwg ar y stryd. Roedd rhai lesbiaid yn ffafrio gwisgo trowsus, er enghraifft, ac yn ymwrthod â sgertiau dros eu crogi. Yn yr un ffordd roedd rhai hoywon yn hoffi esgidiau swêd brown a throwsus tyn yn y pumdegau. A phan wisgai dyn hoyw neu lesbiad fel dyn hoyw neu lesbiad roedd hyn yn arwydd i bobl eraill am eu gwahanrwydd.

Efallai mai Quentin Crisp oedd yr esiampl enwocaf ac amlycaf o berson hoyw yn gwisgo'n ferchetaidd i ddangos ei rywioldeb i'r byd. Ond nid ef oedd yr unig un o bell ffordd. Wrth gwrs, o ran dod o hyd i gymar roedd eisiau dangos eich bod yn hoyw, ond roedd ei ddangos yn ddiwahân i bawb yn rhywbeth hollol wahanol. Yr unig reswm dros wneud hynny oedd er mwyn trawsnewid y byd mawr heterorywiol. A beth yw protestio os nad hynny?

Yng nghanol y ganrif ddiwethaf hefyd daeth iaith i fodolaeth ymhlith hoywon, sef Parlareg (Polari). Roedd i fod yn iaith 'gudd' i allu trafod ein pethau'n breifat. Ond wrth gwrs, yn y Brydain 'uniaith' ar y pryd, roedd siarad unrhyw iaith arall yn arwydd o fod yn wahanol. Ac yn y 1960au daeth y rhaglen radio *Round the Horne* i floeddio cyfrinachau Parlareg o bennau'r tai er mawr ddifyrrwch i bawb.

Dagrau olrhain hanes lesbiaidd a hoyw yw'r bylchau a'r distawrwydd. Mae'n hanes llawn tyllau ac yn frith o lythyrau a losgwyd a chyfrinachau na roddwyd ar bapur o gwbl. Ond hanes bywyd unigolion yw'r hanes a aeth ar goll. Haws o lawer yw cael gwybod am hanes mudiadau sy'n protestio'n gyhoeddus. Ac mae'r wefr (a'r ofn) o wybod mai chi sy'n dechrau ar drywydd cyhoeddus am y tro cyntaf erioed yn ddirdynnol o bleserus. Ac felly roedd hi ar fudiad Cylch yn 1990. Cylch oedd y gymdeithas gyntaf erioed i lesbiaid a hoywon Cymraeg eu hiaith. Wrth gwrs, nid ein bodolaeth fel unigolion hoyw a lesbiaidd oedd yn newydd yn y Gymru Gymraeg ond y ffaith inni greu cymdeithas gyda'r nod o ymgyrchu dros ein hawliau.

Roeddem yn ymgyrchu mewn sawl ffordd. Buom yn ysgrifennu llythyrau yn y wasg Gymraeg a chymryd rhan mewn rhaglenni radio a theledu. Ond y gwahaniaeth mawr oedd ein bod yn agored ac yn ysgrifennu dan ein henw ein hunain. Ar y sgrin gwelwyd ein hwyneb a chlywyd ein llais. Nid oedd actor yn adrodd ein geiriau drosom na chysgod du'n ein cuddio o'r golwg. A chyda rhagor o hyder aethom ymlaen i annerch mewn cynadleddau gelyniaethus a threfnu stondin ar faes ein prifwyl, a hyd yn oed cynnal protestiadau yno.

Cyn sefydlu Cylch roedd o leiaf un brotest hoyw wedi'i chynnal, yn Aberystwyth yn Ebrill 1986. Peintiwyd y slogan 'Y Mudiad Mwyaf Gwrth-Hoyw er y Natsïaid' ar wal Byddin yr Iachawdwriaeth mewn ymateb i ymgyrch yr enwad dramor i ddadgyfreithloni hoywder. Ysgrifennwyd llythyr wedyn at y wasg leol i esbonio'r weithred. Wrth gwrs, roedd targedu addoldy eisoes yn gwthio ffiniau protestio'n eithaf pell. Roedd ymgyrchu yn erbyn enwad yn rhywbeth newydd ac ysgytwol. Ond ers canrifoedd mae'r enwadau at ei gilydd yn elynion ffyrnig i bobl hoyw.

Maes y Steddfod ar un adeg oedd y fan sanctaidd na ellid ei difwyno gyda rhyw brotestiadau politicaidd, nes i Gymdeithas yr Iaith ddangos yn wahanol. Ond ein targed cyhoeddus nesaf ni oedd Cymdeithas yr Iaith ei hun. Protestio yn erbyn y protestwyr? Pam lai? Un o safiadau cyntaf Cylch oedd y Cynnig Hoyw yng nghynhadledd flynyddol y Gymdeithas yn 1990. Trefnwyd bysus i'r gynhadledd yn unswydd i wrthwynebu'r hoywon a'u cynnig afiach. Nid oedd cefnogaeth ychwaith gan hoelion wyth y Gymdeithas a fu'n ddigon parod i gefnogi Sinn Féin a Nicaragwa yn enw cyfiawnder. Ond roedd hoywon a lesbiaid yn gam rhy bell, mae'n amlwg. Methodd y cynnig (wrth gwrs), ond daeth yn ôl droeon bob blwyddyn nes i'r Gymdeithas newid yr holl gyfundrefn o gyflwyno cynigion i osgoi wynebu'r un hen embaras. Roedd 'gwelliannau' rhai o arweinwyr y Gymdeithas megis halen yn y briw – fel disodli 'dan ormes' a chynnig 'yn teimlo eu bod dan ormes'. Roedd sawl degawd nes i'r Gymdeithas ailystyried ei safbwynt.

Roedd pethau'n dechrau poethi. Gyda llythyrau wythnosol yn y wasg Gymraeg, cyfraniadau at raglenni radio ac ymddangosiadau ar y teledu gyda phawb yn agored, roedd yn sbloets ddigynsail o gyhoeddusrwydd i'r ymgyrch. Y cam mawr wedyn oedd gofyn am gael stondin ar Faes Steddfod Aberystwyth yn 1992. Roeddem yn eithaf ansicr a fyddem yn cael stondin. Wedi'r cyfan, nid yn rhy bell yn ôl gwaherddid hyd yn oed pleidiau gwleidyddol rhag cael stondin ar y Maes. Ond cawsom un er syndod i ni, braidd.

Roedd hi'n brofiad cael sefyll drwy'r dydd ar y stondin honno gydag ymatebion ein cyd-eisteddfodwyr yn amrywio o gefnogaeth dwymgalon i wynebau llawn dirmyg a ffieidddod, heb sôn am yr un a feimiodd ein saethu. Ar ein hail noson yno, torrodd rhywun (ac ni allaf ei enwi o hyd, er y gwn yn iawn pwy ydyw) i mewn i'n stondin a chachu dros y taflenni a'r llyfrau yno. Ond at ei gilydd roedd mwy o groeso nag o elyniaeth (cael a chael). Felly penderfynom fachu ar y cyfle i ymosod ar ein hen, hen elynion – yr Efengýls. Aethom at eu stondin gyda bagiau bin duon yn ein dwylo a'u 'helpu' i bacio eu llyfrau a'u pamffledi am 'nad oedd croeso i homoffobia ar y Maes'. Wrth gwrs, ar ôl dodi eu stwff yn daclus yn y 'bin' fel petai, gadawsom bopeth yno – rhag cael ein cyhuddo o ddwyn. Roedd y wasg yno'n haid a chawsom ein llun ar dudalen flaen y *Daily Post* a'r *Evangelical Times* (Hydref 1992)!

Cawsom brotest arall ar y Maes mewn Eisteddfod wedyn pan aethom o gwmpas yr holl stondinau crefyddol (ac eithrio'r Undodiaid) wedi'n gwisgo fel lleianod. Roedd Outrage! yn Lloegr yn grŵp hawliau dynol radical, di-drais, oedd yn gweithredu'n uniongyrchol yn erbyn homoffobia yn y wladwriaeth, yr Eglwys a'r gymdeithas yn gyffredinol. Ffurfiwyd mudiad arall, Dicllon!, i ymgymryd â'r brotest honno ar faes yr Eisteddfod yng Nghymru. Roedd gennym fwced ag ychydig o ddŵr yn y gwaelod i'w daenu megis dŵr sanctaidd wrth yrru allan ysbryd aflan homoffobia, gan lafarganu "Yn enw'r lesbiaid, a'r hoywon a'r holl hyfrydion. Amen" i gyfeiliant cerddoriaeth Michael Nyman. Pan gyrhaeddom stondin y Bedyddwyr, trodd pethau'n eironig. Cydiodd Ysgrifennydd Cyffredinol y Bedyddwyr yn y bwced a gwagio'r cynnwys dros fy mhen. Gwir fedydd, felly! Unwaith eto ymddangosodd y llun yn eang yn y papurau.

Protest arall yn enw Dicllon! oedd yr un a gynhaliwyd adeg anrhydeddu'r cyn-Brif Rabi, Immanuel Jakobovits gyda gradd yng Nghaerdydd. Ymunodd Dicllon! ag Outrage! i brotestio yn erbyn anrhydeddu dyn a roes sêl ei fendith ar erthylu babanod hoyw os oedd modd cael gwybod am eu hoywder yn y groth. Dyma oedd ymateb Jakobovits i'r drafodaeth am y 'genyn hoyw' bondigrybwyll. Roeddem yn aros y tu allan i Neuadd Dewi Sant gyda'n placardiau a'n chwibanau. Roedd y trefniadau diogelwch yn dynn oherwydd presenoldeb Siarl Windsor. Ond llwyddom i godi twrw pan gyrhaeddodd y gwesteion a chwifio'n chwyrn ein placardiau dan weiddi "Gwarth!" a "Byth eto!" Roedd yn brofiad gwahanol cydweithio â Peter Tatchell o Outrage! a oedd am gadw rheolaeth dynn ar bopeth a ddigwyddai.

Mae cloriannu'r effaith yn rhywbeth difyr iawn. Wrth gwrs, gyda phrotestiadau, yn aml nid oes gysylltiad clir o ran achos ac effaith. Mae'r awdurdodau sy'n rhoi'r newid ar waith yn y pen draw yn gyndyn i gyfaddef mai pwysau protest sydd wrth wraidd eu penderfyniad. Yn sgil ein protestiadau, ein llythyrau, ein cyfweliadau a'n cyhoeddiadau clywsom wyntyllu materion hoyw'n aml iawn yn y Gymraeg. O ganlyniad cafwyd newid yn yr agwedd gyhoeddus tuag at hoywon a lesbiaid. Yn y diwedd cafwyd deddfau lu i'n hamddiffyn rhag pob math ar gamwahaniaethu a rhoi nifer o hawliau sifil inni am y tro cyntaf erioed.

Ond dywedodd rhywun am brotestio: "Yn gyntaf mae'ch gwrthwynebwyr yn eich ffieiddio. Wedyn maent yn grac. Wedyn yn ddi-hid. Yn olaf maent yn *bored*. Bryd hynny rydych chi wedi ennill."

Efallai fod Cylch wedi llwyddo i ddiflasu Cymry Cymraeg i'r fath raddau fel bod newid agwedd yn haws na pharhau i wrthsefyll. Efallai fod yr Efengýls wedi sylweddoli o'r diwedd nad homoffobia yw'r neges y maent am ei lledaenu. Wrth gwrs, roedd pethau eraill yn effeithio ar y sefyllfa hefyd fel cymeriadau hoyw ar y teledu. Ond mae newid agwedd ar ddiwedd y dydd yn broses sy'n rhychwantu cenedlaethau. Mae newid y gyfraith yn gam pwysig ar y ffordd ond mae llawer iawn rhagor i'w wneud hefyd. Mae eisiau newid agwedd cymdeithas gyfan. Mae'r frwydr yn parhau.

'Rwy'n ddisgynydd o ddynion cedyrn! Ond nid wyf yn ymladd am fy nheyrnas a'm cyfoeth yn awr. Rwy'n ymladd fel person cyffredin dros fy rhyddid coll, fy nghorff cleisiog, a phurdeb coll fy merched.'

Buddug, wedi ei dyfynnu yn hanesion Cornelius Tacitus, yr 2il ganrif AD

DATGANOLI DARLLEDU

Heledd Gwyndaf

Dwi'n ddigon lwcus i fod wedi cael y gŵys wedi'i thorri i fi o ran gweithredu'n ddi-drais dros y Gymraeg. Fy nghof cyntaf o unrhyw ymwneud â gweithgarwch Cymdeithas yr Iaith oedd mynychu rali tu fas i'r Swyddfa Gymreig yng Nghaerdydd yn yr wythdegau pan arestiwyd fy nhad am chwistrellu slogan ar yr adeilad. Dwi'n credu mai rali dros Ddeddf Iaith Newydd oedd honno.

Dwi wastad wedi gwybod bod cefnogaeth fy nheulu gen i a bod gweithredu'n ddi-drais fel rhan o ymgyrchoedd yr iaith wedi bod yn destun balchder yn ein tŷ ni, a dim byd arall. Mae fy edmygedd felly yn fawr o'r rhai hynny sydd wedi gorfod torri eu cwys eu hunain dros y degawdau, o bosib yn groes i ddymuniadau a disgwyliadau'r rheini sydd agosaf atynt. Mae hynny'n ddewr iawn.

Daeth yr alwad i weithredu i fi, mewn gwirionedd, ar ffurf llythyr pan oeddwn yn y brifysgol ym Mangor, oddi wrth neb llai na Ffred Ffransis. Dwi ar ddeall bod dau neu

95

dri ohonom wedi derbyn y llythyr, ac mae'n siŵr ei bod yn wir i ddweud bod y llythyr hwnnw wedi newid ryw ychydig ar lwybr bywyd pob un ohonom.

Ro'n i wedi bod yn dablo gyda'r Gymdeithas cyn hynny; mae'n rhaid 'mod i, neu faswn i erioed wedi bod ar radar Ffred yn y lle cyntaf. Galwad i weithredu ym maes y Ddeddf Iaith oedd hon ond dwi ddim yn cofio pa weithred yn benodol a flodeuodd o'r hadyn hwnnw – ond yn sicr, mi arweiniodd at flynyddoedd o ymgyrchu ac eistedd ar Senedd y Gymdeithas mewn amrywiol rolau.

Fy nghof o weithredu yn fy nyddiau coleg oedd trefnu protestiadau yn erbyn banciau, archfarchnadoedd a chwmnïau ffôn – trwy ddulliau fel meddiannu balconi HSBC Bangor, dringo mast ffôn yn Synod, chwistrellu ar siop Orange yng Nghaerdydd a ballu. Arweiniodd rhai o'r rhain at achosion llys, ond ddim pob un. Gobeithio i hyn gyfrannu rhywfaint at y gwellhad a gafwyd ar Ddeddf Iaith 1993, pan welwyd Mesur Iaith 2011 yn sefydlu'r safonau gan gyflwyno peth hawliau ystyrlon i ni.

Ond eto i gyd, dydy'r safonau a sefydlwyd gan y ddeddf honno, dros ddegawd yn ôl bellach, heb ymestyn i'r sectorau preifat hyn o hyd. Mae Llywodraeth Cymru yn honni eu bod am weld miliwn o siaradwyr Cymraeg (ac felly o ddefnyddwyr am wn i), ac eto mae eu symud ar y mater hwn yn echrydus o araf – wel, wedi dod i stop yn gyfan gwbl mewn gwirionedd.

Mae adroddiadau ymchwil wedi'u cwblhau gan Swyddfa Comisiynydd y Gymraeg ym meysydd dŵr, cwmnïau post, cymdeithasau tai, bysiau, trenau a rheilffyrdd, a nwy a thrydan ers dros bum mlynedd bellach a dim oll wedi'i wneud am y peth. Mae Mesur y Gymraeg 2011 yn ymestyn hefyd i'r maes telathrebu ond does dim wedi'i wneud am hynny chwaith ers dros ddegawd. O, y gwahaniaeth y gallai hyn oll fod wedi'i wneud petai gweithredu wedi bod ar yr adroddiadau hyn yn lle eu gadael i gasglu llwch yn swyddfeydd ein Llywodraeth Lafur.

Tra oeddwn i yn fy ugeiniau cynnar mewn gwirionedd y dechreuais ymhél â'r maes darlledu am y tro cyntaf a threfnu protest yn erbyn 'Radio Carmarthenshire' am y diffyg Cymraeg ar yr orsaf, yn eu swyddfeydd yn Arberth. Doedd eu defnydd o'r Gymraeg namyn dim. Ond doedd rheoliadau Ofcom – y sefydliad rheoleiddio yn y maes sydd wedi'i leoli yn Lloegr – yn galw arnyn nhw i wneud dim, a dydyn nhw'n dal ddim yn gwneud hynny. Doedden nhw ddim yn gweld yr angen i reoleiddio yn gryf ym maes y Gymraeg. Wel, wrth gwrs nad oedden nhw, rheoleiddwyr o Loegr ydyn nhw ac iddyn nhw mae'r Gymraeg a'n diwylliant yn hollol amherthnasol os nad oes rhywun yn eu gorfodi i weithredu. Mae'r diffyg hwn ym maes radio lleol ar hyd y blynyddoedd wedi ac yn gwneud niwed enfawr i'r Gymraeg.

Cafodd rhyw naw ohonom ein harestio ac arweiniodd

hyn at garcharu Gwenno Teifi am rai dyddiau am iddi wrthod talu'r ddirwy o £200 a gafodd am 'ddifrod troseddol'. Fe dalodd Mam-gu drosta i, yn ddiarwybod i mi. Ro'n i ychydig yn flin wrthi, ond efallai ychydig bach yn ddiolchgar hefyd. Dim ond pobl ddewr iawn sydd yn gwirfoddoli i fynd i garchar.

Gwenno oedd y gyntaf i gael ei charcharu am weithredu yn ddi-drais dros y Gymraeg ers dros un mlynedd ar ddeg. Efallai, gyda dyfodiad Deddf Iaith 1993, y tawelwyd ni ryw ychydig, efallai ein bod wedi dod yn fwy parod i dalu ein dirwyon, ond yn sicr hefyd mae'r awdurdodau wedi newid eu tactegau trwy fod yn fwy cyndyn o arestio ac o garcharu.

Arwydd o'r newid agwedd yma efallai oedd ymateb Llywodraeth y DU i'r rali fawr yng Nghaerdydd ar 6 Tachwedd 2010 pan gyhoeddwyd toriad yng nghyllideb S4C. Roedd cannoedd, os nad miloedd yn y rali a gresyn mewn ffordd na lwyddwyd i gynnal momentwm y rali honno. Mi ddeallodd San Steffan y gêm ac addawyd y briwsion ychwanegol i S4C gan lwyddo i'n cadw'n dawel am ychydig eto.

A dyma fi'n dod i sylweddoli mai diwerth oedd trio ennill brwydrau bach drwy warchod cyllideb S4C bob rhyw ychydig o flynyddoedd. Os rhywbeth, wrth wneud hyn, roedden ni'n cynnal y drefn. Er y gwn mai brwydrau i geisio amlygu gwraidd y broblem oedd y brwydrau hyn dros S4C a thros ein gorsafoedd radio 'lleol', i mi doedd y neges honno mai'r unig ateb oedd datganoli darlledu ddim yn cael ei chyfleu yn ddigon clir, ddim yn cael ei hail-ddweud digon, neu weithiau ddim yn cael ei rhoi gerbron o gwbl.

Dros y blynyddoedd mi ddaeth yn gynyddol amlwg hefyd nad galw am ddatganoli S4C oedd ei angen. Os rhywbeth gallai datganoli S4C ar ei ben ei hun, heb ddatganoli'r holl faes, ym mhob iaith, fod yn hynod o wrthgynhyrchiol. Mae eisiau nifer o sianeli a darparwyr darlledu yn Gymraeg – boed hynny ar wahân i S4C neu yn esblygiad o'r hyn ydy S4C heddiw. Ond mae pobl Cymru nad ydynt yn siaradwyr Cymraeg rhugl hefyd yn cael cam anferth dan y system bresennol ac yn prysur gael eu Seisnigeiddio ymhellach.

Erbyn 2016 ro'n i'n fam i dri o blant, ac wedi gweld y datblygiadau aruthrol yn ystod y blynyddoedd hynny yn y dulliau roedd plant a phobl ifanc yn cael eu hadloniant. A dyma sylweddoli mai digon oedd digon o fynd at sefydliadau yn Lloegr i ofyn os gwelwch yn dda a allen ni gael mwy o Gymraeg neu ychydig yn rhagor o arian. Roeddwn wedi colli'r frwydr – erbyn hyn roedd degau o sianeli Saesneg ar y teledu, degau o orsafoedd radio 'cenedlaethol' a lleol Saesneg a chynnwys Saesneg dirifedi ar y we. Roedd hyn wedi digwydd o flaen ein llygaid, heb i ni sylweddoli fod gwarchod ein hunig sianel Gymraeg genedlaethol yn gyfystyr â syrthio ar ei hôl hi. Ar hyd y deugain a mwy o flynyddoedd ni soniwyd am sianeli Cymraeg eraill, ni soniwyd am gynlluniau i greu cynnwys ar-lein. Saesneg yw iaith ar-lein fy mhlant. Ac ar-lein maen nhw.

Allwn ni ddim ymgyrchu dros wasanaethau unigol eto achos does dim modd i ni wybod beth fydd ei angen arnom ni yn y dyfodol. Sianel arall? Tonfedd arall? Gwasanaeth ffrydio ar-lein? Yr unig opsiwn yw datganoli darlledu er mwyn i ni gael symud gyda'r amseroedd a sicrhau nad ydyn ni'n cael ein gadael ar ôl eto fyth.

Ac felly, yn ystod fy nghyfnod fel Cadeirydd Cymdeithas yr Iaith, dyma ni'n mynd ati i drio ailsbarduno'r ymgyrch i Ddatganoli Darlledu gydag ymgyrch, ymysg dulliau eraill, i wrthod talu'r drwydded deledu. Mae'n ddull sydd eisoes yn amherthnasol, efallai, ond ar y pryd, cafwyd addewid gan dros gant o bobl i weithredu. Y gobaith oedd cael achosion llys un ar ôl y llall ac efallai garchariadau i'r rhai oedd yn teimlo y medrent wneud hynny, er mwyn codi momentwm a'i gynnal. Weithiodd e ddim cweit fel yna.

Cafwyd tri achos llys, gyda degau'n dal i ddisgwyl cael eu galw i'r llys. Y tri a aeth i'r llys oedd William Griffiths, Eiris Llywelyn a minnau. Penderfynodd Eiris ddewr beidio â thalu'r ddirwy a chymerwyd ei char gan y beilïaid. Y gobaith oedd denu mwy o sylw a chefnogaeth. Ond ychydig o sylw a gafwyd mewn gwirionedd, yn enwedig gan mai dim ond tri achos llys a fu. Rhaid cofio hefyd mai newyddion fel yr hoffai Llywodraeth Lloegr eu clywed sydd ar y BBC, ym mha bynnag iaith y'u darlledir.

Gellir edrych ar y diffyg sylw hwn mewn dwy ffordd. Ar y naill law, nad oes pwrpas i'r aberth felly. Neu, ar y llaw arall, ei bod hi'n bwysicach nag erioed i fwy o bobl wneud yr aberth i adeiladu ar y momentwm. Mae credu yn y dewis cyntaf yn llwybr haws i'w ddilyn er mwyn cael bywyd rhwydd.

Efallai y dylwn gyfeirio yn y fan hon at aberth Eileen a Trefor Beasley, rhai nad ydyn nhw'n cael sylw haeddiannol gan y genedl, yn fy marn i. Taniodd eu penderfyniad i beidio â thalu bil uniaith Saesneg Cyngor Dosbarth Gwledig Llanelli adfywiad o ran ymgyrchu dros yr iaith ac yn sgil hynny, llwyddwyd i sicrhau statws newydd iddi. Ond unig a di-fudd y teimlai'r brotest honno ar gyfnodau, dwi'n siŵr.

Yn Hydref 2017, gwrthodais dalu am docyn parcio ym maes parcio Cyngor Sir Castell-nedd Port Talbot am fod y Gymraeg yn cael ei thrin yn llai ffafriol. Cynyddodd y ddirwy wrth i'r Comisiynydd Iaith fwrw ymlaen â'r 'ymchwiliad' ac wrth i mi ddisgwyl canlyniadau'r ymchwiliad hwnnw. Roedd y ddirwy erbyn hyn yn gannoedd o bunnau. Gyda'r beili a'r heddlu tu allan i'r tŷ roedd gen i bum munud i benderfynu beth i'w wneud – talu'r ddirwy o £400, neu eu gweld nhw'n mynd â'r car yn y fan a'r lle. Gyda'r plant yn beichio crio ar stepen y drws, a minnau'n trio meddwl sut, mewn ardal wledig heb ddim trafnidiaeth gyhoeddus, y baswn i'n gallu mynd i'r gwaith a mynd â'r plant i'r ysgol, a siopa bwyd heb gar, a chan bwyso a mesur gwerth yr aberth a'r sylw y byddai'n ei gael, dyma ildio a thalu'r £400.

A dyma ddod yn ôl at Eileen Beasley. Dwi'n hoffi meddwl fy mod wedi cael blas, a blas yn unig, ar aberth fawr Eileen Beasley. Ond mi fethais i. Mi lwyddodd hi, roedd hi'n ddewr ac yn gryf. Dwi wedi dod i sylweddoli mai esgus yn unig yw'r ddadl am 'werth yr aberth'. Wedi'r cyfan, mi allai Eileen a Trefor Beasley yn hawdd fod wedi defnyddio'r union ddadl honno – a lle fasen ni heddiw?

Gyda llaw, cafwyd Cyngor Sir Castell-nedd Port Talbot yn euog o drin y Gymraeg yn llai ffafriol. Ni roddwyd cosb o unrhyw fath arnynt gan y Comisiynydd. Serch hynny, gwrthodwyd fy nghais i gael fy ad-dalu am y £400. Mae gwaith i'w wneud.

Ac yn ôl at y frwydr honno dros ddatganoli darlledu. Felly, tra oeddwn yn Gadeirydd y Gymdeithas aethpwyd ati i greu dogfen 'Darlledu yng Nghymru' a oedd yn amlinellu gweledigaeth y Gymdeithas am yr hyn y gallai darlledu yng Nghymru fod, o ddatganoli'r pwerau hynny. Dyma gynnig atebion yn hytrach nag amlinellu'r problemau – mae'r rheini mor amlwg â'r dydd.

Lansiwyd y ddogfen ddrafft yn Llundain, gan unwaith eto fynd ar ofyn ein meistri yn y fan honno, i gefnogi'r syniad. Cafwyd trafodaeth ddiddorol, dan nawdd David

Davies AS (Ceidwadwyr), Susan Elan Jones AS (Llafur), Liz Saville Roberts AS (Plaid Cymru) a Mark Williams AS (Democratiaid Rhyddfrydol).

Roedd Aelodau Seneddol Plaid Cymru o blaid datganoli darlledu, ond doedd dim hôl rhyw lawer o waith pellach ganddyn nhw parthed hyn. Roedd y Ceidwadwyr yn erbyn, wrth gwrs, a synau rhyfedd yn dod o du'r Blaid Lafur. Mi wnaeth un aelod ddatgan yn glir bod angen datganoli darlledu, tra oedd un arall yn poeni am oblygiadau hynny i'r BBC World Service a oedd yn agos iawn at ei chalon. Rhyfedd.

Er i'r ddogfen ddrafft gael ei lansio yn Llundain, gan taw dyna lle roedd y cyfrifoldebau yn gorwedd, ro'n i'n awyddus i ni symud y pwyslais i'n Senedd ni, am ddau reswm. Yn gyntaf, am fod angen symud yr agenda yn ei blaen, a chael cefnogaeth o'r tu hwnnw. Ac yn ail, mae'n gas gen i gydnabod goruchafiaeth Llywodraeth Lloegr drosom a dwi'n credu y dylem roi diwedd ar y cydnabod hwn.

Felly dyma droi'r pwyslais at aelodau o'n Senedd ni. Cafwyd rhes o gyfarfodydd gydag amrywiol Aelodau o'r Senedd i drafod y pwnc hwn, ymysg pynciau eraill. Cafwyd ambell un yn cymryd rhyw bum eiliad i edrych drwy'r ddogfen cyn gofyn: sut mae hyn yn mynd i gael ei ariannu?

Galwch fi'n naïf ond yr hyn oedd gen i mewn golwg

oedd ein bod yn gwerthu'r weledigaeth a bod Aelodau o'r Senedd yn dweud, "Mae hyn yn swnio'n wych, dyma sydd ei angen ar bobl Cymru i warchod ein hiaith a'n democratiaeth. Mae gennym ni adnoddau a staff, mi edrychwn i weld sut y mae modd gwireddu hyn." Ond dwi'n cofio gadael un cyfarfod penodol a meddwl: er mwyn ennill y ddadl hon mae angen i ni wneud mwy o waith i chwalu pob gwrth-ddadl tan nad oes gwrth-ddadl ar ôl. Yn amlwg, doedd neb arall yn mynd i wneud y gwaith hwnnw droson ni. Dyma fwrw ati felly i wneud y syms. Aeth criw o bobl sy'n gweithio yn y maes ati i weld sut y gellid ariannu ein gweledigaeth.

I fod yn onest, dwi ddim yn siŵr faint o graffu ar y syms wnaeth y gwleidyddion ond roedd y ffaith bod yr adran honno wedi'i hychwanegu at y ddogfen ddrafft yn golygu nad oedd modd taflu'r cwestiwn atom wedyn, a dyna dawelu'r wrth-ddadl honno. Roedd rhaid iddynt feddwl am rwystr arall. Ac roedd y dadleuon yn erbyn datganoli darlledu yn prysur ddiflannu.

Ar ôl fy nghyfnod fel Cadeirydd y Gymdeithas bûm yn Gadeirydd y Grŵp Digidol. A dyma pryd y dechreuodd y Cyngor Cyfathrebu Cenedlaethol ar ei daith. Byrdwn sefydlu'r Cyngor hwn oedd yr angen i fwrw ymlaen, doed a ddêl, heb orfod aros am sêl bendith gan neb, â'r gwaith o greu ein dulliau rheoleiddio ein hunain, fyddai'n addas i'n cenedl ni. Tacteg o wthio trwy arwain fel petai. A ta beth, doedd dim amser i oedi er mwyn i wleidyddion ddala lan – roedd angen dechrau ar y gwaith.

Lansiwyd y Cyngor ar 24 Mehefin 2019 a sefydlwyd Bwrdd cyntaf y Cyngor yn Eisteddfod Llanrwst y flwyddyn honno. Roedd, ac mae, aelodau'r Bwrdd yn bobl sydd yn flaenllaw iawn yn y byd cyfathrebu, gydag amrywiaeth eang o arbenigeddau yn y maes. Doedd dim angen mynd i ofyn i unrhyw un mewn gwlad arall: a gawn ni'n sefydliad rheoleiddio darlledu a chyfathrebu ein hunain os gwelwch yn dda – roedd eisoes ar waith.

Byddai'r Cyngor Cyfathrebu Cenedlaethol yn bwrw ymlaen â'r gwaith o greu rheolau sydd yn addas i Gymru yn y maes cyfathrebu. A dyna sydd wedi digwydd. Roedd ein hegni nawr yn cael ei ddefnyddio yn gadarnhaol i greu a meddwl a llunio polisïau gan adeiladu, yn hytrach na gofyn am gael adeiladu.

Mae'r Cyngor wedi mabwysiadu'r rhan helaethaf o weledigaeth y Gymdeithas ac wedi ychwanegu ati dros y blynyddoedd. Gwaith creu polisi a lobïo sydd wedi digwydd fwyaf.

Yn y ddogfen 'Y Cytundeb Cydweithio' rhwng Plaid Cymru a'r Blaid Lafur a arwyddwyd yn 2021, nodir addewid i: 'Ymchwilio i greu Awdurdod Darlledu a Chyfathrebu cysgodol i Gymru… Rydym ni o'r farn y dylai pwerau darlledu a chyfathrebu gael eu datganoli i Gymru.'

Mae hyn yn hanesyddol.

Mae'r degawdau diwethaf wedi gweld carchariadau, ymprydiau, protestiadau ac ymgyrchoedd o bob math yn y maes hwn, heb anghofio penderfyniad mawr Gwynfor Evans yn 1980 i ymprydio hyd farwolaeth pe na cheid addewid am sianel Gymraeg.

Mae'r newid barn gwleidyddol sydd wedi bod hyd yn oed yn y tair blynedd diwethaf yn anhygoel – mor ddiweddar â Chwefror 2018 pleidleisiodd y Blaid Lafur yn y Cynulliad yn erbyn cynnig Plaid Cymru a oedd yn galw ar Lywodraeth Lafur Cymru i 'ymchwilio i ymarferoldeb datganoli pwerau dros ddarlledu i Gymru ac adrodd yn ôl i'r Cynulliad o fewn blwyddyn'.

A dyma ni. Erbyn hyn maen nhw wedi datgan cefnogaeth lwyr i'r alwad am yr angen i ddatganoli darlledu.

Efallai mai gwaith y Cyngor Cyfathrebu Cenedlaethol erbyn hyn fydd sicrhau bod y maen yn cael ei fwrw i'r wal o ran sefydlu'r Awdurdod cysgodol, y gwaith y mae'r Cyngor wrthi eisoes yn ei wneud wrth gwrs. Bydd hefyd waith i'w wneud i graffu ar yr Awdurdod.

Hoffwn feddwl bod y ffordd gadarnhaol o gynnig atebion ac arweiniad y mae'r Gymdeithas a'r Cyngor Cyfathrebu Cenedlaethol wedi'i dilyn yn y blynyddoedd diwethaf wedi gwneud peth gwahaniaeth. Ond yn sicr, un peth a newidiodd bopeth oedd y pandemig. Mi brofodd unwaith eto mai proses yw datganoli ac mewn gwirionedd nad oes modd datganoli rhai pethau heb, gydag amser, ddatganoli pethau eraill. Yn ystod y pandemig roedd Llywodraeth Cymru mewn sefyllfa o fod â chyfrifoldeb dros iechyd cyhoeddus ond heb y dulliau i allu cyfathrebu ei rheolau. Ac nid dim ond yr angen i ddatganoli pwerau darlledu sydd wedi cael ei amlygu ymhellach gan y pandemig.

Ond mae'r frwydr yn sicr ymhell o fod drosodd. Mynd yn anos eto wnaiff pethau wrth i sefydliadau Lloegr sylweddoli'r llwybr tuag at ryddid y mae Cymru arno – a'r perygl y mae hynny yn ei achosi i'w 'Hundeb' hollbwysig.

'Ymladdwn am ein bod yn cael ein
gorfodi i ymladd, oherwydd yr ydym ni,
a Chymru gyfan, yn cael ein gorthrymu, ein
darostwng, ein hanrheithio, ein gostwng i
wasanaethu gan swyddogion brenhinol a beilïaid,
yn groes i heddwch a phob cyfiawnder.'

Llythyr Llywelyn, Tywysog Cymru i John
Peckham, Archesgob Caergaint, yn 1282

MYNNU'R HAWL I FYW ADRA

RHYS TUDUR

TESTUN JÔC YW'R ENW 'Hawl i Fyw Adra' i rai sy'n dadlau na fyddai unrhyw riant call yn dymuno i'w plant gael yr hawl i fyw efo nhw adra am byth bythoedd! Er y tynnu coes, mae yna ystyr mwy dwys i'r gair 'adra' i ni'r Cymry. Dyma ein gwreiddiau, ein bro. Ymgyrchu dros yr hawl i fyw yn ein broydd mae'r grŵp Hawl i Fyw Adra, yr ydw i'n rhan ohono.

Pam fod angen gwneud hynny? Fel y mae, mae diffyg rheolaeth ar ail dai yn arwain at ddadwreiddio pobl o'u cymunedau ac yn niweidio'r diwylliant cynhenid. Mae'r broblem yn amlwg mewn sawl ardal ar hyd Prydain ond yng Nghymru mae'r broblem yn fwy dwys − law yn llaw â cholli ein cymunedau rydym yn colli ein hiaith ac oherwydd hynny rydym yn colli ein hunaniaeth fel cenedl.

Mi fydda i'n aml yn drist wrth ddychwelyd i'm pentref genedigol, Morfa Nefyn. 'Teg edrych tuag adref,' meddan nhw, ond pan fydda i'n 'edrych tuag adref' mi fydda i'n uniaethu fwyfwy a chân 'Ysbryd Solfa' Meic Stevens: 'mae'r dyffryn hwn, mae e'n marw… Ysbryd Solfa'n galw nawr.' Dwi'n teimlo bod ysbryd, gorffennol, Morfa Nefyn yn galw bellach. Mae'r pentref yn marw o ganlyniad i ddiffyg rheolaeth ar ail dai a chynnydd digynsail yn eu niferoedd. Trychineb yw bod pobl sy'n ymweld â'u hail dai am ysbaid yn yr haf yn amddifadu pobl leol rhag byw yn barhaol yn nhai'r pentref.

Roedd cael prynu tŷ ym Morfa efo golygfa o'r môr wastad wedi bod yn freuddwyd ffŵl, a phrisiau tai ymhell bell o'm cyrraedd. Ond bellach mae pobl leol wedi eu hamddifadu rhag byw hyd yn oed mewn tai eraill yn y pentref. Enghraifft deg ydy Tŷ Clyd, enw eithaf eironig oherwydd tydy o ddim yn dŷ clyd i bobl leol. Tŷ teras dwy lofft ydy o, heb ardd na golygfa, ond cafodd ei werthu fel tŷ haf am chwarter miliwn. Prisiau hurt. Ac yna dileu'r diwylliant hefyd wrth i enwau'r tai gael eu newid i Mizzen Top, Happy Daze a Curly Tree Cottage.

Daw hyn â mi at y cwestiwn, pam protestio? Neu pam fy mod i'n gwneud hynny? Rhyw awch i geisio newid cwrs pethau ydy o, am wn i. Cael llond bol ar y drefn a bod eisiau gwneud rhywbeth er mwyn ei newid. Wrth brotestio, weithiau mi fydda i'n teimlo'n ddig bod pobl yn medru bod yn ddi-hid, ynghwsg, heb awch i newid y drefn er mor anfoesol ydy'r sefyllfa. Bryd hynny bydda i'n atgoffa fy hun bod gan bawb ei bwn i'w gario, a chyfrifoldeb protestwyr yw amlygu pam mae'n rhaid i bobl, ynghanol eu prysurdeb a'u poenau, roi eu sylw i achos penodol.

Efallai fy mod i'n 'ffodus' o gael fy ngeni ym Morfa Nefyn, a bod hynny wedi creu protestiwr ohona i. Mae'r ffaith bod dros 30% o dai'r pentref yn dai haf a dylanwad negyddol hynny ar y gymuned yn fwy amlwg i mi nag ydyw i eraill. Bellach mae cyfran helaeth o'r pentref yn wag ac yn ddifywyd. Dan amgylchiadau argyfyngus o'r fath mae rhywun yn naturiol yn meddwl mai fy lle i yw ysgwyddo'r cyfrifoldeb, yn hytrach na disgwyl i eraill gymryd at y cyfrifoldeb i weithredu i newid y drefn.

Mi fyswn i'n dweud bod fy mhrotest i wedi cychwyn pan ddes yn aelod o Gyngor Tref Nefyn. Mae pobl yn dychmygu fod protestio o ran ei natur yn gorfod bod yn rhywbeth swnllyd, sy'n tarfu ar fywyd, ond does dim rhaid iddo fod felly – gall ymwneud â llywodraeth leol fod y dull mwyaf effeithiol o brotestio. Mae gan unrhyw haen o lywodraeth, boed ar y lefel isaf, ar lefel y plwy, rym a dylanwad.

Wedi'r cwbl, mae cyngor plwy neu gyngor cymuned yn gorff democrataidd ac yn cynrychioli ardal. Er gwanned ydyw mae gan gyngor cymuned ei lais a rhaid ei ddefnyddio. Pan ddes yn Gynghorydd Tref Nefyn, fi oedd yr unig aelod oedd yn iau na 30, ond bellach mae pedwar aelod yn 30 neu'n iau. Wrth reswm, mae'n strach i gael tai ar agenda swyddogol misol ein cyngor tref. Er mai pwerau cyfyngedig sydd gan gyngor cymuned o ran newid polisïau a deddfwriaethau, gellir gwneud cynigion yn galw ar gorff arall i wneud rhywbeth penodol, a gellir pasio mosiwns ar ystod o faterion, sy'n arf effeithiol i hoelio sylw'r wasg. Wedi gwneud cynigion gellir herio ymhellach drwy ysgrifennu llythyrau manwl at y Cyngor Sir a'r Llywodraeth, sydd efo'r grym i wneud datrysiadau. Mae'n ddefnyddiol bod goblygiad ar y sefydliadau hyn i ymateb i gyngor cymuned. Wedi derbyn ymateb, gellir dadansoddi eu safbwyntiau a chanfod ffyrdd i fynd â'r maen i'r wal.

Ymhlith aelodau'r Cyngor Tref roedd ymdeimlad bod angen i ni wneud rhywbeth ymarferol a chyhoeddus law yn llaw â phasio cynigion ac ysgrifennu llythyrau. Roedd y broblem mor ddifrifol fel bod angen i ni dorchi llewys. Penderfynwyd cerdded i ddangos ein bod ni'n mynnu newid. Cerdded o ddrws swyddfa Cyngor Tref Nefyn i Gaernarfon – taith ugain milltir. Doedd hi ddim yn daith hawdd, roedd rhaid cerdded i fyny am Fwlch yr Eifl ac yna i lawr efo'r lôn fawr i Gaernarfon. Mi oedd hi'n ymdrech lew, oedd yn dangos ein bod yn poeni am ein hardal, ac mi gafodd sylw mwy na'r disgwyl yn y wasg. Mi oedd y cydgerdded yn rhoi cyfle i ni grisialu ein dyheadau ac yn ddigon naturiol rhywsut, wrth drafod ar droed, caed consenswс bod angen grŵp pwrpasol i ymgyrchu'n gyson i alw am reoleiddio niferoedd ail dai. Trafodwyd sloganau addas i hoelio sylw a chynigiodd un o'r cerddwyr, Lowri

Nansi Roberts, y slogan 'Hawl i Fyw Adra' oedd yn ymgorffori ein dyhead, a dyna enwi'r grŵp.

Er mai criw bach a fentrodd gerdded am ei bod yn gyfnod clo ynghanol pandemig, cafwyd cefnogaeth a chydymdeimlad ar hyd y daith. Dangosodd nifer eu cefnogaeth drwy ganu cyrn ac mi oedden ninnau mewn hwyliau da er ein bod yn ymgyrchu dros einioes ein cymunedau. Cyrhaeddwyd Caernarfon a galw am ddatganoli mwy o bwerau i'r Cyngor Sir i'w galluogi i allu mynd i'r afael â phroblem tai haf yn fwy effeithiol.

Credaf mai ennyn cydymdeimlad ydy pwrpas pennaf protest. Wrth gerdded y lôn hir am Gaernarfon yn cario arwyddion roedden ni'n gobeithio bod y ciwiau ceir di-ben-draw am Ben Llŷn yn darllen y placardiau ac yn gweld ein safbwyntiau. Dylanwad mawr arnaf i, ac un o'r protestiadau mwyaf trawiadol yn hanes y byd, oedd taith gerdded y National Association for the Advancement of Colored People i brifddinas talaith Alabama i fynnu'r hawl i bleidleisio. Cafodd y brotest argraff ddofn arnaf i. Mae'r ffilm *Selma* yn werth ei gwylio, ffilm sy'n dangos clipiau hanesyddol o dyrfaoedd enfawr yn cydgerdded mewn ysbryd da, heddychlon gan fynnu gwell byd. Does yna fawr o ddim yn fwy pwerus na hynny. Cyngor Martin Luther King ynglŷn â phrotestio ydy 'nad protestio er mwyn protestio a wneir eithr er mwyn meithrin ymdeimlad o gydymdeimlad'.

Am fod protest yn ei hanfod yn golygu rhywfaint o wrthdaro, hawdd fyddai i brotestio droi'n chwerw. Hawdd fyddai i brotest Hawl i Fyw Adra droi'n wawd at berchnogion ail dai, ond wnaiff hynny ddim lles. Ni fyddai'n ennill cydymdeimlad ac ni fyddai pobl yn gallu uniaethu â ni a dirnad ein safbwyntiau. Un o'r protestiadau cyntaf i ni fel grŵp oedd protestio yng nghanol Nefyn gydag arwyddion i godi ymwybyddiaeth a cheisio ennyn cefnogaeth leol. Bryd hynny roedd perchnogion carafannau a thai haf yn gyrru heibio'r groesffordd brysur ac yn datgan cefnogaeth i'n hymgyrch, a chydnabod bod angen gosod trothwy ar niferoedd ail dai er mwyn cadw cyfran o dai'r ardal yn dai lleol. Mae ennill cydymdeimlad o'r fath yn werth ei bwysau mewn aur ac yn dangos bod y brotest yn un gyfiawn.

O ran dulliau protestio effeithiol rhaid wrth greadigrwydd. Bu'r grŵp hyd draethau Llŷn yn ysgrifennu'r geiriau Hawl i Fyw Adra yn fawr ac yn amlwg ar y tywod. Gwymon oedd yn llefaru'n neges ac ambell slogan wedi'i ddylunio â gwymon hefyd. Dyma ymdrech ar ein rhan i amlygu bodolaeth y grŵp ac i ddangos nad oedd ein hymgyrch yn bwriadu bod fel gwymon yn methu 'dal tro'r trai' – roeddem yn awyddus i herio'r drefn.

Symudodd yr ymgyrch ymlaen wedyn o ysgrifennu ar draethau i ysgrifennu sloganau ar arwyddion a'u gosod mewn lleoliadau amlwg. Pwy feddyliai y gallai drysau hen gypyrddau a wardrobs ac ochrau bath gael eu hailddefnyddio i arddangos sloganau protest! Y gobaith oedd y byddai geiriau megis 'Ail dai yn erydu'r Gymraeg', 'Hawl i Gymunedau barhau', 'Come by, not to buy us out', 'Tŷ nid Tegan', a 'Your second home could have been my first' yn fodd i sicrhau bod yr annhegwch ar flaen meddyliau pobl, gan godi ymwybyddiaeth ymhlith ymwelwyr hefyd bod yna bwnc llosg yn yr ardal.

Mi fyswn i'n tybio mai un o heriau mwyaf protestio ydy parhau i hoelio sylw. Wedi protest mae tueddiad i lithro'n ôl i ddiymadferthedd. Dwi'n meddwl mai George Orwell ddywedodd nad ydy pobl yn meddwl bod eu sefyllfa yn ddrwg neu'n anghyfiawn nes bod rhywun yn dweud hynny wrthyn nhw yn gyson a'u hargyhoeddi fel arall. Yn absenoldeb ymdrechion protestgar, mae peryg i bobl arfer efo anghyfiawnder. Dywed y nofelydd enwog Fyodor Dostoevsky yn y llyfr *House of the Dead*: 'Man is a creature that can get accustomed to anything, and I think that is the best definition of him.' Mae yna elfen gref o wirionedd yma.

I atal pobl rhag arfer efo'r drefn, penderfynwyd amlygu'r anghyfiawnder a welem yn ddyddiol yn ein pentrefi. Aethom â'n protest ar daith eto, gan fynd y tu allan i ffiniau plwyf Nefyn. Trefnwyd diwrnod o brotest symudol gan ymweld â phentrefi gwahanol. Cychwyn yn Pistyll, gerllaw 'Capel Tom Nefyn' a werthwyd mewn ocsiwn am grocbris i'w droi'n dŷ haf a hynny er i drigolion lleol ymgyrchu i'w brynu. Y geiriau sydd ar fedd Tom Nefyn yw 'Efe oedd yn gannwyll oedd yn goleuo ac yn llosgi', geiriau efallai sy'n wers i bob protestiwr. I fod yn effeithiol, rhaid creu gwres a goleuni er mwyn tynnu sylw ac amlygu anghyfiawnder.

Ymlaen i Morfa Nefyn, Edern, Tudweiliog, Sarn Mellteyrn ac Aberdaron. Ymunai pobl nad oedden nhw erioed wedi bod mewn protest o'r blaen am eu bod yn gwirioneddol boeni am eu dyfodol a dyfodol eu plant a dyfodol eu pentref. Cawn f'atgoffa o'r llyfr dylanwadol *Pa beth yr aethoch allan i'w achub?* a olygwyd gan Simon Brooks a Richard Glyn Roberts, a'r teitl yn talu teyrnged i'r athronydd J. R. Jones a'r sylw ar ffroydd Cymraeg. Wrth deithio o bentref i bentref yn sŵn canu egnïol Gwilym Bowen Rhys ac Elidyr Glyn, roeddem yn gweld yn glir beth oedd angen ei achub.

Pam mae protestio mor bwysig? I ateb y cwestiwn efallai fod angen edrych ar anian y protestiwr a'r hyn sy'n gyrru rhywun i brotestio. Pobl sydd wedi dewis cymryd cyfrifoldeb i amlygu sefyllfa anfoesol ydynt. Heb bobl felly, wnaiff y byd ddim newid. Pobl sydd am geisio newid y drefn sy'n protestio, pobl sydd am geisio newid cwrs pethau a phobl sydd ddim am aros mewn rhigol.

Yn hanesyddol roedd cael tyrfa yn un o nodweddion amlycaf protest. Bellach, yn ein byd technolegol, mae cymdeithas yn fwy unigolyddol – rydym ni wedi ein hatomeiddio ac yn llai parod i gyd-ddyheu. Er hynny, mi gawn gymdeithas a thyrfaoedd ar ffurfiau eraill. Ceir tyrfaoedd bellach ar y cyfryngau cymdeithasol, ac mae'n dyrfa bwysig os nad, o bosib, yr un bwysicaf i ddylanwadu arni. Gall un trydariad fod yn ddigon i fachu sylw miliynau. Fel grŵp defnyddiwn y cyfryngau cymdeithasol i gynnal sylw pobl, ac i sicrhau nad yw pobl yn colli golwg ar nod y brotest ac yn llithro'n ôl i ddiymadferthedd.

Fe'n labelwyd gan rai ar y cyfryngau cymdeithasol a'n galw yn Natsïaid, *inbreds*, hilgwn. Caed pob math o wawdio di-sail. Bu sylwadau negyddol yn fodd i gryfhau'r ymgyrch gan ddenu eraill i ymateb ac amddiffyn yr hyn sy'n gyfiawn. Dywedodd Napoleon, 'Mi wnaiff dyn ymladd yn galetach dros ei fuddiannau na'i hawliau.' Mae ei eiriau yn amlinellu'r her fwyaf sydd gan brotestwyr o bosib. Rhaid iddyn nhw sicrhau eu bod yn ymdrechu mwy na'u gwrthwynebwyr. Er yr her, mae gwrthwynebiad i brotest yn beth iach, yn elfen bwysig sy'n cadw'r protestwyr ar flaenau eu traed.

Trwy brotestio mae posib llwyddo i ddwyn y maen i'r wal. Dywedodd Martin Luther King: 'Gwrthodaf dderbyn y syniad fod dyn yn froc môr ar afon bywyd ac yn analluog i ddylanwadu ar ddigwyddiadau sydd yn esgor o'i gwmpas.' Dydyn ni ddim am fod yn 'wymon o ddynion', i ddyfynnu Gerallt Lloyd Owen. Ac mae ein protest eisoes wedi esgor ar ymateb. Ers i ni brotestio, mae peilot wedi ei lawnsio i geisio delio ag ail dai yn Nwyfor, mae'r premiwm treth cyngor ar ail dai wedi codi yn uwch, mae comisiwn Cymunedau Cymraeg wedi ei greu, mae treth tir ar ail dai wedi codi ac mae'r Llywodraeth wedi ymgynghori ar ddatrysiadau sy'n mynd i gynnig rheoliadau pellgyrhaeddol ar ail dai.

Y wers i ni yw: er mor fychan y brotest gychwynnol, mae'n werth gweithredu. Criw bychan a gerddodd i Gaernarfon. Ond mae hanes wedi dangos y gellir creu chwyldro gyda niferoedd bychan penderfynol. Fe wnaeth Fidel Castro gipio grym a thrawsnewid Ciwba gyda chriw bach. Dywedodd, 'Dechreuais chwyldro gydag 82 o ddynion. Pe bai'n rhaid i mi ei wneud eto, byddwn yn ei wneud gyda 10 neu 15, a'r rheini gyda ffydd lwyr yn yr achos. Does dim ots pa mor fach ydych chi os oes gennych chi ffydd a chynllun gweithredu.' Llwyddodd Gandhi i fynnu annibyniaeth i India drwy brotestio mewn tyrfaoedd ond hefyd drwy ymgyrchu ar ei ben ei hun a chyda chriw bychan.

Gellir deffro'r byd gyda chriw bach iawn, ond heb brotestio a gorymdeithio ni wnaiff hyd yn oed y protestwyr eu hunain lawn amgyffred pwysigrwydd yr hyn a wnânt. Yn ôl George Orwell: 'Until they become conscious they will never rebel, and until after they have rebelled they cannot become conscious.'

'I love America more than any other country in the world and, exactly for this reason, I insist on the right to criticize her perpetually.'

James Baldwin

PŴER YR HASHNOD A FI

JESS DAVIES

Y R ATGOF CYNTAF SY'N dod i'r cof wrth feddwl am fy
hanes fel protestiwr yw neilltuo fy amser cinio pan o'n
i tua naw mlwydd oed i gofleidio coeden goncyrs enfawr a
safai'n falch ar faes chwarae fy ysgol gynradd, mewn protest
yn erbyn y sïon ei bod hi am gael ei thorri i lawr. Bron i
ddau ddegawd yn ddiweddarach, mae'r goeden honno'n
dal i sefyll yn gadarn heddiw.

Yn ddeg oed, ar ôl dechrau fy mislif a sylweddoli yn
ystod gwers addysg rhyw letchwith nad fi oedd yr unig un
oedd wedi bod yn cuddio'r gyfrinach fach hon, dechreuais
ymgyrch yn yr ysgol i osod biniau mislif yn nhoiledau'r
merched. Roedd yn llwyddiant.

Fel y gallwch chi ddychmygu, mae'n debyg 'mod i'n
blentyn hyderus. Dwi bob amser wedi bod yn llafar iawn
am fy nheimladau, fy meddyliau a fy marn, ac roedd gen i
ddealltwriaeth gref o'r hyn ro'n i'n meddwl oedd yn iawn
ac yn anghywir. Dwi'n teimlo'n gryf na ellir neu na ddylid
anwybyddu pwysigrwydd gwreiddio cydraddoldeb ac

empathi yn ein cartrefi ac o fewn ein teuluoedd o oedran ifanc; dyna beth, yn fy marn i, sydd wedi fy ngosod i ar y llwybr i fod yn actifydd ar-lein i fenywod a merched.

Roedd fy nhad yn blismon, a ges i fy magu ar aelwyd a oedd yn pwysleisio bod pawb yn gyfartal a'ch bod yn trin eraill gyda'r un parch ag yr hoffech chi gael eich trin. Roedd yn ymddangos yn syml i mi. Roedd gen i hefyd ddwy ddynes gref yn fy mywyd, Nanny Pauline a fy mam. Nhw wnaeth fy argyhoeddi i o syniad eithaf syml, sef 'Does dim angen dynion arnon ni!' O agor jariau a drilio silffoedd, i ba gamp ro'n i'n chwarae a'r swydd ro'n i'n dyheu am ei gwneud (model, wrth gwrs, *duh!*), fe wnaethon nhw bwysleisio dro ar ôl tro y gallwn i wneud hynny fel menyw annibynnol.

'Gall merched wneud unrhyw beth!' meddyliais. Wrth dyfu i fyny mewn tref glòs yng Nghymru fel plentyn gwyn, dosbarth canol, ro'n i'n ddigon naïf i gredu bod y rhan fwyaf o bobl eraill yn dilyn y rheolau anysgrifenedig hyn hefyd, nes i fi agor rhywfaint ar fy ngorwelion yn fy arddegau trwy gael mynediad i'r rhyngrwyd.

Pan lansiwyd llwyfannau cyfryngau cymdeithasol fel MSN a Bebo, fe es i o fod â bywyd o fewn muriau Aberystwyth i gael mynediad i filoedd o fydoedd eraill trwy glic llygoden. Unrhyw wybodaeth ro'n i eisiau dod o hyd iddi, gallwn ei theipio i mewn i far chwilio. Dechreuodd straeon am anghyfiawnder gylchredeg ar-lein bron yn syth bìn, yn lle 'mod i'n gorfod aros dyddiau i'w darllen ym mhapur newydd fy nhad. Ro'n i'n gallu gweld rhagor o amrywiaeth, diwylliannau gwahanol, ymddygiadau gwahanol i'r rhai oedd yn bodoli o fewn cylch fy ffrindiau a 'mherthnasau. Ac nid oedd yn fêl i gyd. Yn bedair ar ddeg oed byddwn yn derbyn fy sylw trolio cyntaf ac yn dechrau deall y pŵer y gall y byd digidol ei gael dros deimladau rhywun.

Ochr yn ochr â chymdeithas gyfarwydd yn newid o'm cwmpas, dechreuodd fy nghorff newid hefyd. Do'n i ddim yn edrych fel plentyn bellach, ond yn fenyw ifanc gyda bronnau a chluniau a fyddai'n denu sylw dynion llawer hŷn na mi. Dechreuodd bechgyn yn fy ysgol fy nhrin fel gwrthrych, gan wneud sylwadau am fy nghorff. Roedd yr ystrydebau'n rhemp gyda merched yn cael eu barnu'n *sluts* a bechgyn yn cael eu canmol fel *legends*, ac fe wnaeth y teimlad pendant, grymus a drwythwyd yndda i o oedran ifanc y gallai merched gyflawni unrhyw beth ddechrau pylu. Byddwn yn darganfod yn ddiweddarach mai'r casineb at ferched sydd wedi ei wreiddio mewn cymdeithas − *misogyny* − oedd ar waith, rhywbeth y byddwn i'n mynd ymlaen i sefyll yn ei erbyn mewn protestiadau, ar-lein ac ar y stryd, yn y blynyddoedd oedd i ddod.

Y fatsien olaf a daniodd y fflam ynof i gynnal ymgyrch gydol oes dros gyfiawnder cymdeithasol a chydraddoldeb oedd pan benderfynais astudio Cymdeithaseg yn y

Chweched Dosbarth. Roedd yr holl ddamcaniaethau roedd fy meddwl ifanc chwilfrydig wedi'u curadu o fewn fy mhen bellach wedi'u gosod yn foel o 'mlaen mewn gwerslyfr glas 800 tudalen. Na, dyw'r byd ddim yn gyfartal. Ydy, mae cymdeithas wedi'i chynllunio i wneud i rai pobl fethu, ac all rhai pobl ddim dianc rhag hynny, waeth pa mor galed y maent yn brwydro. Fe wnaethon ni ddarllen am arbrawf am wahaniaethu hiliol yn y gweithle lle'r oedd cymdeithasegwyr yn anfon CVs union yr un fath at ddarpar gyflogwyr – yr unig ffactor gwahaniaethol oedd y cyfenwau traddodiadol Saesneg a oedd ynghlwm wrth rai o'u cymharu â'r enwau 'ethnig' oedd ynghlwm wrth y lleill. Roedd y canlyniad yn dangos tuedd sylweddol i roi swyddi i'r rhai â'r enwau traddodiadol a oedd yn 'swnio'n' wyn.

Yn sydyn, roedd fy llygaid a fy nghlustiau ar agor. Byddai rhagor o astudiaethau tebyg trwy gydol y flwyddyn ysgol, pob un yn datgelu gwirioneddau hyll gwahaniaethu ar sail hil a rhyw o fewn ein cymdeithas. Ro'n i eisiau gwybod pam. Pam fod cymdeithas fel hyn? A sut, os o gwbl, allwn i ei newid? Fe wnes i barhau i astudio Cymdeithaseg yn y brifysgol lle graddiais gyda gradd BA Anrhydedd ar ôl ysgrifennu traethawd hir yn ymchwilio i'r cwestiwn: 'In a misogynistic society, can women consensually sexually objectify themselves for their own financial or sexual gain?' Yn ystod fy mlynyddoedd yn y brifysgol dechreuais ddefnyddio'r cyfryngau cymdeithasol yn amlach, wrth i safleoedd fel Instagram a Twitter oresgyn y rhai hynafol fel MySpace. Tyfodd nifer y dilynwyr oedd gen i wrth i boblogrwydd y llwyfannau newydd gynyddu, ac erbyn fy mod i'n ugain oed roedd gen i ddegau o filoedd o ddieithriaid yn fy nilyn ar-lein. Wedi'u gwasgaru ymhlith y lluniau bicini a'r ymffrost teithio achlysurol ar fy nhudalen roedd negeseuon blin a brwdfrydig am gydraddoldeb menywod a'u hawliau dros eu cyrff. Ro'n i'n teimlo'n angerddol am y ddadl 'fy nghorff, fy newis' a oedd yn cael ei harddel gan ffeminyddion rhyddfrydol ar y pryd, ac eisiau defnyddio fy mhlatfform newydd i geisio newid meddyliau pobl.

Mae siarad ar-lein am rywbeth sy'n bwysig i chi yn frawychus, am nad yw pawb yn mynd i gytuno â chi, a nifer ohonyn nhw'n fodlon gwneud hynny'n glir yn y ffordd fwyaf pendant. Po fwyaf y siaradwn ar fy llwyfannau am y driniaeth annheg tuag at fenywod a merched, mwyaf o feirniadaeth y byddwn yn ei chael. 'Mae hi wedi mynd yn ffeministaidd i gyd ac yn rhyfedd nawr,' ysgrifennodd un blogiwr. 'Does neb yn malio beth sydd gen ti i'w ddweud, ti'n dipyn o *loon* mewn gwirionedd,' ysgrifennodd un arall. Rai dyddiau ro'n i'n teimlo'n flinedig, yn llefain yn fy fflat mewn rhwystredigaeth, yn llawn anobaith bod rhai allan yna nad oedden nhw'n teimlo'r un fath â fi. Ond fe wnaeth rhywbeth fy sbarduno i barhau; wrth i nifer y dilynwyr droi'n filoedd a mwy deallais y pŵer sydd gan y cyfryngau cymdeithasol – y gallu i gyrraedd miliynau o bobl. Ac er nad o'n i'n cael gwrandawiad gan bawb roedd hi'n bosib y gallai rhywun allan yna glywed beth oedd gen i i'w ddweud. Roedd hi'n bosib bod gen i gyfle da i newid ymddygiad rhai tuag at fenywod a merched. Ac roedd hynny'n ddigon i fy ysgogi i barhau gyda fy mhrotest ddigidol.

Ers i mi ddechrau protestio ar-lein am faterion cymdeithasol ac, yn fwy penodol, am ffeministiaeth, dwi wedi codi'r *ante* ar fy nhudalennau cyfryngau cymdeithasol gydag ymgyrchu yn dod yn rhan allweddol o'r cynnwys. Boed yn gyfreithiau erthylu, yn ystadegau erlyniad treisio neu'n gynnydd mewn cam-drin rhywiol, dwi'n ymroddedig i ddefnyddio'r rhyngrwyd fel arf i frwydro yn erbyn anghydraddoldeb ac i ymladd dros newid. Dwi wedi clywed llawer o hen bobl yn dweud nad oes cymaint o ots gan bobl ifanc bellach; ein bod ni'n *snowflakes* sydd bob amser yn sownd i'n ffonau yn lle mynd allan ar y strydoedd neu ymladd dros yr hyn rydyn ni'n credu ynddo. Dwi'n anghytuno'n gryf. Wrth i filoedd o bobl fynd ar y strydoedd i brotestio bod Bywydau Du o Bwys neu ar gyfer rhoi diwedd ar therapi trosi er enghraifft, mae llawer hefyd yn gwneud gwaith pwysig ar-lein. Y gofod digidol yw'r byd newydd a gall pŵer hashnod ar gyfryngau cymdeithasol helpu i arwain at euogfarnu troseddwyr rhyw fel #MeToo yn achos Harvey Weinstein, a dal unigolion yn atebol am droseddau treisiol fel llofruddiaeth George Floyd. Gall yr hashnod helpu i amlygu erchyllterau rhyfel anghyfreithlon yn Wcráin a datgelu newyddion ffug yn y byd gwleidyddol. Ac yn fwy diweddar, gall helpu democratiaeth drwy hybu deisebau ar-lein y bydd Aelodau Seneddol yn eu trafod yn y Senedd, gan arwain at greu neu addasu cyfreithiau, fel y llwyddais i ac actifyddion eraill i'w gyflawni yn ddiweddar wrth i ni ymgyrchu ar-lein i wneud seiber-fflachio yn drosedd.

Mae protestio digidol yn ffurf bwerus o brotestio ac yn caniatáu i bawb gymryd rhan. Mae ei gyrhaeddiad yn fyd-eang ac mae ei neges yn cyrraedd miliynau. Rwyf wedi mynychu gwylnosau a phrotestiadau personol o'r blaen, ond fel menyw sengl heb unrhyw ffrindiau sydd â diddordeb mewn mynychu rali ar gyfiawnder cymdeithasol dwi bob amser yn teimlo'n anniogel wrth fynd ar fy mhen fy hun, yn enwedig gyda llawer o'r rhain yn cael eu cynnal gyda'r nos. I mi, mae defnyddio fy mhlatfformau ar-lein lle mae gen i dros 300,000 o ddilynwyr yn ffordd lawer mwy effeithiol o godi llais dros rywbeth dwi'n credu ynddo, ac yn rhywbeth sydd â gwell gobaith o annog pobl i newid eu barn. Mae gweithredu ar-lein hefyd yn golygu dewrder, wrth i chi orfod ymdrin ag annifyrrwch rhai sydd am wrthwynebu eich achos.

I herio protest gorfforol, byddai'n rhaid i'r bobl annifyr hyn ddangos rhywfaint o ddewrder eu hunain. Ond er mwyn cau rhywun ar-lein sy'n ceisio creu newid, y cyfan sy'n rhaid iddyn nhw ei wneud yw bwlio o'r tu ôl i gyfrif dienw. Efallai y bydd rhai hyd yn oed yn galw hynny'n hwyl. Ac felly mae'r annifyrrwch yn gallu bod gymaint yn fwy a chael effaith feddyliol go iawn.

Ond gall protestio ar-lein hefyd ddwyn gwobrau enfawr; ar lefel bersonol, mae creu cynnwys o sylwedd yn teimlo'n dda, yn lle llun gwyliau eto fyth, gyda ffilter wrth gwrs. Ond ar raddfa ehangach, gall ysbrydoli rhai o bob rhan o'r byd i ymuno yn yr ymgyrch, newid eu meddyliau a chwestiynu eu credoau. Gall ddechrau sgyrsiau gyda phobl sydd heb glywed eich neges erioed. Yn bwysicaf oll, gall greu mudiadau cyfan sy'n herio sefydliad a newid y byd er gwell.

"O Arglwydd, dyma gamwedd.'

Geiriau olaf Dic Penderyn cyn iddo gael
ei grogi yn ystod terfysg Merthyr, 1831

DROS IAITH, DROS GARTREF

HEDDYR GREGORY

M AE PROTESTIO AC YMGYRCHU yn rhan annatod ohona i. Ces i fy magu ar aelwyd sosialaidd gref lle roedd gwerthoedd y Blaid Lafur yn ganolog i fywyd pob dydd. Roedd fy nhad yn undebwr mawr a dwi'n cofio holl streiciau fy mhlentyndod yn y chwedegau a'r saithdegau, a'r caledi ariannol a ddeuai yn sgil hynny yn ein cartref dosbarth gweithiol. Ond roedd fy nhad yn danbaid dros gyfiawnder a thegwch i'r gweithiwr cyffredin ac yn un a frwydrai dros hawliau iddo. Etifeddais innau'r un angerdd dros gyfiawnder cymdeithasol.

Serch hynny, pan ddes i oed pleidleisio, troi at Blaid Cymru wnes i yn y dyddiau cynnar gan fod annibyniaeth i Gymru a brwydro dros gyfiawnder i'r iaith Gymraeg yn rhan ganolog o'r angerdd a deimlwn dros fy ngwlad a fy iaith. Doedd hynny ddim yn plesio fy nhad ar ein haelwyd fach ni ym Mrynaman ar ddechrau'r wythdegau, a mynych fu'r dadlau gwleidyddol rhyngom am ddegawdau!

Roedd gan fy nhad ragfarn mai eiddo i'r dosbarth canol oedd Plaid Cymru a'r iaith Gymraeg ar y pryd. Dwi'n cofio yn un ar ddeg oed pledio gydag e i gael mynd i Ysgol Gyfun Gymraeg Ystalyfera, gan mai ei ddymuniad e oedd fy mod yn dilyn llwybr fy chwaer hŷn a mynychu'r ysgol uwchradd Saesneg yn yr ardal, a oedd, yn ei dyb e, yn fwy addas i blant o 'nghefndir i. Efallai fod ychydig o wirionedd yn hynny ar y pryd pan oedd addysg Gymraeg yn cael ei hystyried yn elitaidd, ond diolch i'r drefn, mae hynny wedi newid yn llwyr erbyn hyn.

Fi enillodd y frwydr fechan ond sylweddol honno a dwi'n gwybod bod fy nhad yn dra diolchgar am fy styfnigrwydd yn 'mynnu cael fy ffordd fy hun' erbyn hyn. A does dim amheuaeth mai drwy'r addysg honno, y cyfleoedd perfformio dirifedi, y sin roc Gymraeg a'r mynych ddawnsfeydd a gigs ar hyd a lled Cymru, yn ogystal â dylanwad un athro Cymraeg angerddol, y taniwyd fy nghariad tuag at yr iaith Gymraeg a'r awydd i brotestio, doed a ddelo, dros achub ei cham a sicrhau ei pharhad.

Ar ddechrau'r wythdegau, es i Brifysgol Aberystwyth i astudio'r Gymraeg (beth arall?!), a dyma gyfnod o brotestio mawr gyda Chymdeithas yr Iaith. Y galw am Ddeddf Eiddo oedd yr ymgyrch fawr ar y pryd. Dyma gyfnod protestio mwy eithafol Meibion Glyndŵr hefyd – er, prysuraf i ddweud na fues i'n rhan o hynny erioed! Cefnogi'r achos ond nid y dull o weithredu. Roedd y protestio bryd hynny yn rhan gynhenid o fywyd coleg, a chofiaf gyffro'r mynych dripiau i brotestiadau ledled Cymru, o Fangor i Gaerdydd, a'r hwyl a'r cymdeithasu a gafwyd yn ogystal.

Cofiaf hefyd feddiannu banciau ac amrywiol sefydliadau addysg bellach oherwydd eu diffyg polisi iaith Gymraeg, gydag un plismon hawddgar yn Aberystwyth yn ein ceryddu a'n cefnogi ar yr un pryd!

Ar y pwynt hwn, mae'n briodol nodi bod hyn i gyd, wrth gwrs, cyn sefydlu Bwrdd yr Iaith Gymraeg, heb sôn am benodi Comisiynydd y Gymraeg. Llywodraeth Dorïaidd Thatcher yn San Steffan oedd yn rheoli bryd hynny ac roedd Streic y Glowyr hefyd yn ei hanterth. Roedd gymaint i brotestio drosto!

Mae gymaint wedi newid a chynifer o frwydrau wedi'u hennill a'u colli dros y pedwar degawd diwethaf, ond gresynaf weithiau fod bywyd colegol wedi newid gymaint erbyn hyn fel bod myfyrwyr yn cael eu llesteirio gan waith academaidd fel nad oes ganddynt yr amser na'r cyfle i brotestio i'r un graddau ag y gwnaeth fy nghenhedlaeth i. Gobeithio mai dyma yw'r gwir reswm, ac nid apathi cyffredinol. Dwi'n teimlo nad oes gan fy mhlant fy hun yr un tân yn eu boliau, a gresynaf na wnaethant brotestio dros unrhyw beth yn ystod eu cyfnod fel myfyrwyr, hyd y gwn i. Efallai, ar y llaw arall, eu bod wedi laru ar Mam â'i phrotestiadau a'i hymgyrchu yn ystod blynyddoedd eu plentyndod!

Bûm yn rhan o sawl protest ac ymgyrch wleidyddol yn ystod y deugain mlynedd diwethaf ac mae ymgyrchu a phrotestio wedi newid gymaint o ganlyniad i ddatblygiad technoleg. Mae gan bob elusen, grŵp ymgyrchu, sefydliad a phlaid wleidyddol gymaint mwy o gyfle i gryfhau'r gefnogaeth i'w hachos drwy wefannau a'r cyfryngau cymdeithasol, podlediadau a blogiau. Mae yna gymaint o ffyrdd o gael y neges drosodd ac i greu momentwm o ran ymgyrchu neu brotestio. Mae hyn wedi chwyldroi pethau ers fy nyddiau cynnar i o brotestio pan nad oedd gan neb e-bost hyd yn oed, heb sôn am ffôn symudol. Dibynnu wnaethon ni, am wn i, ar bosteri i'n hysbysu am ddigwyddiadau protestio ac ar gyfarfodydd wyneb yn wyneb y gangen leol o Gymdeithas yr Iaith.

Ac felly mae dulliau ymgyrchu wedi mynd llawer yn fwy soffistigedig a strwythuredig wrth i'r neges gyrraedd miloedd o bobl ar gliciad llygoden. A hyn yn ei dro yn cynyddu momentwm unrhyw ymgyrch.

Ers bron i saith mlynedd bellach rydw i'n gweithio i Shelter Cymru, elusen tai a chartrefedd Cymru, fel swyddog y wasg a'r cyfryngau, ond yn gweithio o fewn y tîm ymgyrchoedd. Dyma swydd ddelfrydol! Gweithio mewn maes sy'n gyfforddus ac yn gyfarwydd gan fy mod wedi treulio agos at ugain mlynedd yn gweithio ym maes teledu a radio. Ond i gyfoethogi'r profiad ceir yr elfen o ymgyrchu, brwydro, lobïo, bod yn ddraenen yn ystlys gwleidyddion ar adegau, gan gydweithio gyda nhw hefyd i gael y maen i'r wal i sicrhau nad oes neb yn profi nac yn wynebu digartrefedd.

Ond gadewch i ni ddechrau gyda'r ffaith syml bod 'Shelter Cymru yn bodoli i amddiffyn yr hawl i gael cartref diogel a brwydro'n erbyn effaith ddinistriol yr argyfwng tai ar bobl a chymdeithas'.

Ydyn, mi rydyn ni yng nghanol argyfwng tai yng Nghymru ac mae nifer o resymau dros hyn. Yn bennaf does dim digon o stoc tai ar gael i'w rhentu nac i'w prynu, ac yn ychwanegol at hyn mae'r pandemig wedi creu storm berffaith o ran pobl yn colli gwaith, wedi eu rhoi ar gynllun ffyrlo, costau byw yn cynyddu oherwydd biliau ynni a phrisiau nwyddau, a thoriadau i Gredyd Cynhwysol. Mae hyn yn golygu bod cost rhentu'n breifat neu brynu tŷ wedi codi i fan sy'n golygu bod pobl yn gwario cyfran fawr o'u hincwm ar gostau tai.

Mae 67,000 o aelwydydd ar restrau aros am dai cymdeithasol yng Nghymru. Does dim digon o dai cymdeithasol, felly mae pobl sydd wir angen tŷ cymdeithasol weithiau'n methu cael un. Mae hyn yn golygu bod pobl yn gaeth i lety rhent preifat, na ellir ei fforddio, ac yn aml maen nhw'n cael eu hunain yn ddigartref.

Dylai tai cymdeithasol fod ar gael i bawb sydd eu hangen: teuluoedd, pobl ifanc, pobl hŷn, rhentwyr preifat sydd angen tai mwy fforddiadwy a sicr, a phobl sydd wedi profi digartrefedd. Gan fod cynifer o bobl yn ei chael hi'n anodd dod o hyd i gartref da, mae'n hanfodol bod Llywodraeth Cymru'n gweithredu ac yn adeiladu'r tai y mae pobl yn aros amdanyn nhw. Dyna pam rydyn ni'n ymgyrchu dros adeiladu mwy o dai cymdeithasol mewn cymunedau ledled Cymru, ac rydyn ni'n croesawu ymrwymiad Llywodraeth Cymru i adeiladu 20,000 o dai cymdeithasol newydd erbyn diwedd tymor y Senedd bresennol. Dyna'r targed, o leiaf!

Gwaethygu mae pethau yn yr hinsawdd ariannol sydd ohoni ac mae'n rhaid gweithredu i atal miloedd ar filoedd o bobl rhag cael eu gwthio i ddigartrefedd. Wrth sgwennu'r bennod hon mae 7,500 o bobl yn byw mewn llety dros dro (dros 1,700 o'r rheini yn blant) heb le addas i'w alw'n gartref. Golyga hyn eu bod yn byw mewn hosteli, sefydliadau gwely a brecwast neu westai, heb gyfleusterau addas, heb sefydlogrwydd, a heb le i'w alw'n 'gartref'.

Credwn fod cartref yn sail i fywyd iach, hapus a chynhyrchiol ond mae cymaint o bobl yn byw mewn tai ag amodau gwael, yn enwedig yng Nghymru gan fod y stoc tai hynaf yn y Deyrnas Unedig gyda ni.

Ond sut mae ymgyrchu'n llwyddiannus i sicrhau bod gan bawb gartref da a diogel?

Credaf fod ymgyrchu o fewn sefydliad yn wahanol i brotestio 'o'r tu fas'. Mae'n rhaid gweithio mewn ffordd drefnus a gweithredol tuag at y nod arbennig. Dysgais, yn ystod fy nghyfnod yn Shelter Cymru, i ffrwyno'r ymateb greddfol o weiddi'n groch mewn protest angerddol ond yn hytrach i gamu'n ôl, ystyried y sefyllfa'n ofalus a gwneud yn siŵr nad oes unrhyw ymateb neu ymgyrch yn mynd i gorddi'r dyfroedd yn ormodol gan beryglu unrhyw berthynas sydd gennym gyda llywodraethau ar bob lefel. Golyga hyn fod ymchwil manwl yn cael ei wneud gan ein hymchwilwyr, a bod unrhyw ymgyrch yn seiliedig ar ganfyddiadau'r ymchwil a wnaed a bod gennym astudiaethau achos i gefnogi'r gwaith. Mae stori bersonol bob amser yn abwyd i'r wasg!

Mae'n rhaid i Shelter Cymru fod yn amhleidiol hefyd ac mae'n rhaid bod yn ofalus a gochel rhag dangos unrhyw duedd wleidyddol yn fy ngwaith proffesiynol. Gall hyn fod yn heriol ar adegau gan fy mod yn berson sy'n dueddol o bregethu fy ngwleidyddiaeth yn gyhoeddus bob cyfle gaf i. Diddorol felly yw mynychu cynadleddau gwleidyddol y prif bleidiau yng Nghymru bob blwyddyn, gan siarad â gwleidyddion o bob tuedd i geisio tynnu sylw at ein hymgyrchoedd, a'u cael i'n cefnogi. Wyddwn i ddim cyn hyn fod gen i'r gallu i gnoi fy nhafod gystal pan ddaw'n fater o safbwynt gwleidyddol!

Un o'r brwydrau mawr sy'n ein hwynebu ni yng Nghymru ar hyn o bryd ac y mae Shelter Cymru yn brwydro drosto yw tai fforddiadwy. Gwelwyd ers y pandemig bod prisiau tai wedi codi yn uwch yng Nghymru nag yn unman arall yn y DU, a hyn wedi'i yrru gan nifer o ffactorau. Gyda'r symud tuag at weithio gartref a dulliau hyblyg o weithio, dydy byw mewn cartref sy'n agos i'r gweithle bellach ddim yn angenrheidiol. Yn ogystal â hyn, gyda'r cynnydd aruthrol mewn gwyliau 'lleol' (*staycations*) mae mentergarwyr y wlad fach hon wedi gweld eu cyfle i fuddsoddi mewn bythynnod gwyliau neu eiddo i'w osod fel Airbnb er mwyn creu incwm ychwanegol.

Ac er gwaethaf honiadau rhai pobl bod hyn yn beth da i dwristiaeth ac i economi lleol, mae'n anodd, yn bersonol, gweld y manteision. Dwi'n digwydd bod yn byw mewn stryd yn Llandeilo lle mae chwech o fythynnod gwyliau Airbnb. Yr hyn sy'n fy nghythruddo yw bod yr ymwelwyr mynych sy'n dod yma i letya yn cyrraedd gyda chist y car yn llawn bwyd a diod o'r archfarchnad. Ar ddiwedd y dydd, llety hunanarlwyo ydynt a phrin iawn yw eu cyfraniad i'r diwydiant lletygarwch yn y dref hon. Daw'r gaeaf â'i hirlwm i lefydd fel Llandeilo a sawl 'Llandeilo' arall ar hyd a lled Cymru pan fydd y gwenoliaid wedi mynd adref.

Hoffwn godi pwynt amhoblogaidd yn y fan hon am ail gartrefi sy'n eiddo i Gymry Cymraeg. Yn fy nhyb i, does dim gwahaniaeth o gwbl rhwng estroniaid sy'n manteisio ar wneud elw ac sy'n dwyn adnodd prin a gwerthfawr oddi wrth drigolion lleol a'r rhai Cymraeg eu hiaith sy'n gwneud yn union yr un peth mewn pentrefi glan môr poblogaidd ar hyd a lled arfordir Cymru. Pryd y gwnaiff pobl newid eu ffordd o feddwl a pheidio â meddwl am dai fel asedau ariannol? Dwi o'r farn bod un cartref yn ddigon.

Yn eu hanfod, mae'r cartrefi gwyliau hyn yn dwyn adnodd pwysig yn ein cymunedau, sef tai a fflatiau i'w rhentu i deuluoedd lleol. Mae cost rhentu yn breifat, o ganlyniad, wedi mynd y tu hwnt i gyrraedd pobl leol ac mae'r gystadleuaeth am le i'w rentu wedi cynyddu'n aruthrol. A beth am bobl ifanc sy'n cael eu gyrru allan o'u hardaloedd am na fedrant fforddio prynu neu rentu yn eu cymuned leol? Mae'r effaith ar gymunedau, ar iaith, diwylliant ac economi yn aruthrol o ddinistriol ac mae'n rhaid gweithredu ar frys.

Calonogol yw gweld bellach bod awdurdodau lleol yn defnyddio'r grym i godi treth cyngor ar ail gartrefi o 50% i 100%, ond mae ganddynt y pŵer i godi hyd at 300% ar ddeiliaid yr ail gartrefi hyn. O ran Airbnb, pam na ellir gosod cap ar uchafswm eiddo mewn unrhyw ardal a dilyn dulliau llefydd fel Barcelona lle maent yn mynd i'r afael â phla Airbnb a'r hyn a elwir yn ordwristiaeth?

Fel y soniais, yn nyddiau fy ieuenctid, roedd y protestio dros Ddeddf Eiddo yn danbaid ond prin y meddyliais ar y pryd y byddwn, bron i ddeugain mlynedd yn ddiweddarach, yn dal i brotestio dros dai haf a thai gwyliau fel y gwnes yn Nhryweryn yn haf 2021 ac ar Bont Trefechan yn gynharach eleni. Teimlaf ar adegau mai ofer fu'r protestio, a gwn fod y broblem lawer gwaeth erbyn hyn.

Ymgyrch ddiweddar gan Shelter Cymru yw'r galw am reoleiddio'r arfer o 'wahaniaethu' yn y sector rhentu preifat. Er ei fod yn gwbl anghyfreithlon, mae gymaint o landlordiaid yn nodi nad ydynt am dderbyn tenantiaid sy'n derbyn budd-daliadau. O ystyried bod 56% o drigolion Cymru yn derbyn rhyw fath o fudd-dal, mae hyn yn ei gwneud yn amhosibl i ganran helaeth o'r boblogaeth fedru dod o hyd i gartref.

Yng nghanol argyfwng tai, mae'n ddigon anodd i bobl ar draws Cymru ddod o hyd i le i'w alw'n gartref. Ond mae'r sefyllfa'n waeth i rai pobl gan fod eiddo yn dal i gael ei hysbysebu fel 'dim DSS' neu 'dim budd-daliadau' er bod hyn yn anghyfreithlon. Y gwir amdani yw bod landlordiaid, gan fod cymaint o gystadleuaeth am gartref i'w rentu, yn dewis a dethol eu tenantiaid, gan ffafrio pobl sydd mewn gwaith llawn-amser. Mae ein hymchwil ar hyn hefyd yn tanlinellu'r profiad dinistriol y mae pobl yn ei wynebu wrth gael eu gwahardd rhag gweld eiddo neu rentu cartref oherwydd eu hunaniaeth ryweddol, rhywioldeb, ethnigrwydd neu anabledd. Yn ogystal â bod yn destun poen a sarhad i'r unigolyn, rydyn ni am godi ymwybyddiaeth bod gwahaniaethu fel hyn yn erbyn y gyfraith.

Gall unrhyw un sy'n profi gwahaniaethu wrth chwilio am gartref, neu'n gweld arfer o wahaniaethu, adrodd am hyn ar wefan Shelter Cymru. Ac rydyn ni'n croesawu'r ymrwymiad oddi wrth Rhentu Doeth Cymru i sicrhau y bydd gweithredu yn erbyn landlordiaid/asiantaethau sy'n gwahaniaethu yn digwydd.

Do, fe ddaeth y pandemig â'i heriau unigryw i bobl mewn sefyllfa fregus o ran cartrefedd. Bu'n gyfnod eithriadol o brysur i staff Shelter Cymru. Bu'n rhaid addasu ein ffordd o weithio ond bu'n gyfnod heriol o ran ymgyrchu hefyd. Cafwyd llawer sgwrs gyda gwleidyddion ym Mae Caerdydd i geisio datrys y broblem o bobl yn methu fforddio costau tai. Clod i Lywodraeth Cymru am ymestyn y cyfnod rhybudd i droi pobl allan o'u cartref o ddau fis i chwe mis. Bu hyn yn achubiaeth i gymaint o bobl. Llwyddwyd hefyd i letya pobl ddigartref ar y stryd dros nos! Do, gwelwyd camau dewr yn cael eu cymryd gyda help Deddf Coronafeirws 2020, ond fe ddaeth y ddeddf hon i ben ym mis Mawrth 2022 ac mae amseroedd heriol o'n blaenau unwaith eto.

Yr hyn a welwyd yn amlwg yn ein gwaith achos ni dros y cyfnod clo oedd cynnydd mewn trais domestig. Yn ystod y cyfnodau clo ni fu cartref erioed mor bwysig. Bryd hynny gwelwyd y straen ar aelwydydd lle roedd aelodau'r teulu cyfan yn byw dan yr un to. Bryd hynny tanlinellwyd pa mor gwbl anaddas oedd cartrefi rhai pobl o ran lle digonol i rieni weithio gartref, plant yn cael eu haddysgu o'r cartref a'r gorboblogi amlwg. Gwnaeth ein hymchwil ganfod problemau enfawr gyda chynllun, cyflwr a fforddiadwyedd stoc tai Cymru.

Syndod hefyd oedd gweld yr effaith ar blant. Roedd 63,000 o blant yng Nghymru heb le tu allan yn ystod y pandemig, heb le i gael awyr iach a chwarae, ac roedd 114,000 o blant heb gyswllt band eang yn ogystal, wrth geisio bwrw 'mlaen â'u haddysg. Gwelwyd achosion cynyddol hefyd o gartrefi lle roedd angen atgyweiriadau, a thanlinellwyd yn ystod y pandemig y cyswllt clir rhwng gorboblogi a phroblemau iechyd meddwl.

Ond er gwaethaf hyn, un darn o ddeddfwriaeth a ddaeth i rym fis Gorffennaf eleni yw'r Ddeddf Rhentu Cartrefi (Cymru) 2016 a fydd yn rhoi cymaint mwy o hawliau i rentwyr ar draws Cymru. Mae Shelter Cymru wedi cydweithio'n agos ac yn drylwyr gyda Llywodraeth Cymru ar y darn yma o ddeddfwriaeth. Mae llawer i'w groesawu yn y ddeddf hon: rheolau llymach o ran mynd i'r afael ag atgyweiriadau, amddiffyniadau rhag troi allan dialgar, dull synnwyr cyffredin o ran tenantiaethau ar y cyd yn ogystal â newidiadau pwysig a blaengar eraill. Unwaith ddown ni dros y treialon a'r heriau cynnar o weithredu'r ddeddf bydd y dyfodol yn well i rentwyr ar hyd a lled Cymru.

Felly, mae'r frwydr dros gartref yn parhau 41 o flynyddoedd ers sefydlu Shelter Cymru, ac mae'r heriau yn parhau hefyd. Er ein bod fel elusen yn darparu cyngor a chefnogaeth o ddydd i ddydd drwy ein llinell gymorth, ein hapwyntiadau wyneb yn wyneb, ein cyngor ar-lein, yn ogystal â llu o brosiectau eraill i helpu'r rhai hynny sydd angen tai, mae'r gwaith ymgyrchu lawn cyn bwysiced. A thrwy ein gwaith ymgyrchu rydyn ni'n ceisio mynd at wraidd yr argyfwng tai a dydyn ni byth yn rhoi'r ffidil yn y to. Credwn yn Shelter Cymru mai cartref yw popeth.

Felly, mae protestio ac ymgyrchu dros achosion dwi'n angerddol yn eu cylch yn rhan annatod o bwy ydw i. Dyma fel fuodd hi erioed. Y tân yn y bol hwnnw sy'n anodd ei ddiffodd, er na ddymunwn iddo fyth wneud.

'One person cannot make up for the evils of a whole system and it is the system that is to blame – the system of narrowness and of pride, and of exclusiveness, and of no one doing anything for another, unless there is something to be gained in return.'

Amy Dillwyn, *The Rebecca Rioter*

CRI AR Y COMIN

MENNA ELFYN

MAE YSGRIFENNU AM GOMIN Greenham yn teimlo'n chwithig ynghanol erchyllterau rhyfel Putin yn Wcráin. Sut mae modd croniclo rhywbeth a ddigwyddodd yn wythdegau a nawdegau'r ganrif ddiwethaf ac a wnaeth y fath argraff ar y byd am gyfnod heb feddwl am ein byd ni heddiw? Ond ar ba 'fyd' a pha 'gyfnod'? Ai dyna ddagrau pethau? Wrth i mi lunio hwn mae grŵn rhyfel yn meddiannu'r awyr mewn gwlad sydd ymhell i ffwrdd, ac eto, yn dynesu atom yn barhaus gan ein llethu â'n gofidiau dwysaf. A dim ond un pwnc llosg sydd ar flaen gwefusau'r gohebwyr a'r ddynol ryw. Y math o air a ofnwyd ddeugain mlynedd yn ôl pan oedd arswyd yn treiddio i bobman, sef y gallai rhyfel niwclear ddigwydd. A'r braw y gallai'r ddynoliaeth gan ei sgubo ymaith ar amrantiad. Mor chwim â dileu negeseuon e-bost. Prin fisoedd wedi COP26, a'r ymgais eto i daclo problemau cynhesu'r byd a'r hinsawdd, penderfynodd un dyn, fwy neu lai ar ei liwt ei hun, achub ei hunanddelwedd a'i ffantasi am ailysgrifennu hanes ac ail-lunio map y bydysawd. Gan ddal anadl y byd yn ei ddwrn.

Os ydych wedi digalonni gyda'r uchod alla i ddim eich beio. Ond arhoswch gyda mi. Achos rwy am adrodd hanes criw o ferched dewr a geisiodd eu gorau glas i dynnu sylw at ffolineb taflegrau criws. Nid yn unig hynny ond y ffaith i safle milwrol Americanaidd benderfynu eu cadw mewn lle fel Newbury, ac ar dir comin o bobman, yn Lloegr. Nid ar chwarae bach y cerddodd criw o ferched yr holl ffordd o Gaerdydd i Newbury, rhai â'u plant mewn bygis, yng nghwmni dynion a gwŷr. Ac wedi cyrraedd y fan a'r lle, dod i sylw cyfryngau'r byd am y daith hirfaith honno. Deffro ambell newyddiadurwr a rhai mewn awdurdod o'u trwmgwsg a wnaed, gan godi llais am yr hyn oedd yn lled ddirgelwch bryd hynny, ac ar dir a oedd unwaith yn dir cyffredin ac yn berchen i bawb. Neu neb. Tir comin ydoedd.

Bu Comin Greenham yn safle felly ers yr Ail Ryfel Byd pan oedd trigolion yr ardal wedi eu darbwyllo bod gwaith hollbwysig ym maes arfogaeth a pharatoadau darpar ryfel yn digwydd yno. Rhyw fath o ddigwyddiad tebyg i'r ffordd y gwasgarwyd pobl o dir Epynt, onide? Enwyd y lle gan drigolion yn 'Lung of Newbury'. Ac fel yn achos Epynt chawson nhw mo'r Comin yn ôl wedi'r Ail Ryfel Byd. Yn hytrach, penderfynwyd cadw'r safle fel storfa i'r taflegrau. Wrth i mi ysgrifennu hwn, mae sôn ar y radio am fomiau budr yn cael eu cadw a'u creu yn Wcráin, chwedl dwyllodrus Rwsia efallai cyn taro'r wlad dan yr esgus eu bod am amddiffyn Rwsia. Neges ffals. Eto, onid yw pob bom yn un budr? Beth bynnag, un o'r rhesymau dros gadw'r safle oedd i NATO benderfynu gwneud hynny ynghyd â mannau eraill yn Ewrop rhag ofn y byddai galw amdanynt rywbryd yn y dyfodol. Gwelwyd hyn fel cam go beryglus ac yn naratif a fyddai'n cynyddu'r ras arfau ar draws gwledydd. Byddai rhai'n barod i ddweud heddiw iddyn nhw ragweld y gallai rhyw unben golli ei ben a'i bwyll drwy herio'r fath weithred a'i gweld yn un bryfoclyd. Beth bynnag yw'r ddadl, dros neu yn erbyn, mae'n herio safbwynt pob heddychwr a heddychwraig heddiw, onid yw? Ac ar ddechrau'r wythdegau dyna'r ofnau ym meddyliau'r heddychwyr. Lleihau nifer yr arfau ar y cyd y dylid ei wneud, medd heddychwyr, nid cynyddu a storio yn barhaus a chythruddo gwladwriaethau eraill yn ei sgil.

Ai methiant felly oedd Greenham, o edrych ar bethau yng ngoleuni heddiw? Aeth deugain mlynedd heibio a bu'r bwrlwm ynghylch arfau niwclear yn destun a ddaeth i'r amlwg oherwydd y criw o ferched a lwyddodd i gychwyn y daith honno o brotest ar Fedi'r 5ed, 1981. Cadwynodd rhai gwragedd eu hunain wrth ffens ar y safle am ychydig ac yn ddiweddarach gosodwyd plac yn nodi ei fod yn 'Wersyll Heddwch Merched'. A dyna gychwyn yr ymgyrch a oedd i barhau tan Fedi'r 5ed, 1995, sef pedair blynedd ar ddeg o brotestio cyson gan griw bychan penderfynol o ferched, yn ogystal â miloedd ar filoedd, yn eu tro, yn mynd a dod yno i dalu parch i'r egwyddor o heddwch i'n byd.

Trodd y fangre yn fan gref i'r achos. Heddgri yn lle rhyfelgri ydoedd. Madarchodd y pebyll, nes troi'r lle'n bentref mawr neu'n ddinas noddfa i lawer. Gwelwyd carafannau'n cyrraedd yn ogystal â bysus o bob rhan o'r gwledydd hyn, a daeth rhai dros y dŵr i ymuno. Roedd yr ymgyrch yn alwad ac yn ddyhead i newid y byd. Daeth y Glwyd Felen yn gartref i lawer ac ysgogwyd llawer i ddod am gyfnod neu i ymgartrefu yno. Nid ar chwarae bach yr oedden nhw'n byw yno gan wynebu'r elfennau: o dywydd mawr i elfennau dichell yr awdurdodau fyddai'n trefnu i swyddogion ddileu eu pebyll ganol nos gan eu herlid a chodi arswyd arnynt. Roedd y gwersyll wedi'r cyfan yn denu miloedd i'r safle a'r gwrthwynebiad yn ffyrnig weithiau tuag atynt. Yn ffodus, roedd trigolion cefnogol i'w hachos yng nghyffiniau Newbury a oedd yn agor eu drysau i'r merched a'u galluogi i gael cawod neu ddillad glân, neu bryd o fwyd cartref cynnes.

Hyd yn hyn nid wyf wedi crybwyll fy ymwneud â'r gwersyll fel protestwraig, a hynny'n fwriadol. Gofynnwyd i mi sôn am fy rhan innau yn y brotest yng Nghomin Greenham ond rhaid cyfaddef mai pitw o gyfraniad a wnes i, ar wahân i deithio yno ar sawl achlysur. Wn i ddim a fyddwn wedi mynd yno i aros am gyfnod, ond roeddwn newydd eni fy mab pan ddigwyddodd y daith gychwynnol i Greenham. Mae'n wir i mi glywed am y daith mewn cyfarfodydd a phrotestiadau eraill dros heddwch. Cefais fy arestio mewn safle Americanaidd arall, safle llai nodedig na Greenham, sef safle Americanaidd Breudeth, a hynny am dorri'r ffens yno, a'm gwysio i Lys Ynadon Hwlffordd am ddifrod troseddol. Bûm hefyd yn picedu'r byncar yng Nghaerfyrddin gyda'r cynlluniau i baratoi ar gyfer unrhyw ddigwyddiad niwclear, pe digwyddai hynny. Ond am Greenham, roedd e mor bell i ffwrdd o Geredigion.

Ar fws yr euthum yno y tro cyntaf ac roedd hi'n fis Mawrth ac yn Sul y Mamau, a phawb yn cael eu hannog i ddod â rhywbeth o eiddo'u plant i'w glymu ar y ffens. Chofia i ddim yn iawn beth es i gyda mi, ond rwy'n cofio'r un a fu'n gwmni i mi, Siân ap Gwynfor, un a wnaeth lawer mwy o gyfraniad na minnau i'r achos. Dysgom lawer y diwrnod hwnnw, fel gweithio pebyll drwy blygu gwiail i weithio to a bondo bach cyn gosod tarpolin drosto. Amhosib oedd peidio â rhyfeddu at y gelfyddyd a wnaed o'r gwersyll, y gwahanol glwydi o liwiau'r enfys: yn felyn, yn las, yn goch. Roedd pawb hefyd fel petaent yn rhan o rywbeth mwy na nhw eu hunain, rhyw deimlad ysbrydol hyd yn oed. Dychwelais yn dawel fy meddwl y byddai'r gwersyll hwn yn para am amser hir, a chyda'r gobaith y byddai'n newid yn sylweddol feddylfryd pobloedd lawer ac y byddai lleisiau'r gwragedd yn dod i sylw llywodraethau.

Ymdebygai'r diwrnod hwnnw i ryw fath o ŵyl, gyda rhai'n dawnsio a chanu, eraill am ddal dwylo neu gynnig ymborth. Bydolwg arall, dybia i, oedd e i'r rhan fwyaf o'r selogion yno drwy fisoedd llwm hirlwm gaeaf.

Yn anffodus, euthum adre ar y bws y tro cyntaf heb gwrdd â'r union berson a wnaeth Greenham mor ddwys o bwysig i mi – Helen Thomas o Gastellnewydd Emlyn, heddychwraig a gartrefodd yno er mwyn ymgyrchu gan rannu ei Chymreictod anghydffurfiol yn ei dull addfwyn gyda'r preswylwyr eraill. Newydd raddio oedd hi ac wedi cysegru ei bywyd i'r frwydr gyda'i hargyhoeddiad dwfn dros gael gwared ar y taflegrau criws o'r wlad. Ond mewn damwain angheuol bu farw yn Awst 1989 wrth aros i groesi ffordd yr A339, y tu allan i'r Brif Glwyd, pan drawyd hi gan focs ceffylau Heddlu'r West Midlands a oedd yn gyrru heibio iddi.

Pan ddychwelais i Greenham wedi'r ddamwain drasig, ni allwn lai na dychmygu gweld Helen yno, fel symbol o heddwch. Tystiodd ei chyfeillion i'w dyfalbarhad a'i thynerwch wrth ymgyrchu dros heddwch. Gwnaeth Greenham yn gartref iddi, a hithau'n bwerus effeithiol ei hymroddiad i'r achos. Pan euthum yno, roedd rhyw ddistawrwydd rhyfedd yn y lle, fel pe bai'r comin hefyd yn galaru. Ceisiodd ei rhieni Janet a John Thomas eu gorau glas i gael ymchwiliad i amgylchiadau ei marwolaeth ond, yn y pen draw, ni lwyddwyd i gael adolygiad barnwrol o'r dyfarniad o farwolaeth trwy ddamwain. Ond fel y dywedodd y merched wrtha i, nid oedd diwrnod yn mynd heibio heb i Helen fod yno yn eu meddyliau a'u calonnau. I mi, hi oedd y grym arhosol a'r ymgorfforiad o'r ffordd y mae hyd yn oed gweithio dros heddwch yn dygyfor â pheryglon treisiol. Dywedodd rhai o'r merched fod yna 'cyn Helen' ac 'wedi Helen' yn y gwersyll, a'r cof am ei gallu i ysbrydoli a llythyru, dadlau a herio safbwyntiau yn hollbresennol yno.

Lluniais nifer o gerddi heddwch am Helen, ac yn 'Ffiniau' cyfeirio yr oeddwn at 'y crastir lle bu cur / ar ochr pafin'. Ac fel heddiw yng nghefnlen Wcráin mae 'muriau'n gwegian wrth atal / gwerinoedd rhag cael anal'.

Bwrw tystiolaeth yw byrdwn bardd a gohebydd fel ei gilydd. Y gohebydd yw'r sgrifennwr cyntaf, meddir, a'r bardd, wel, caiff amser i ystyried wedi'r drin yn aml iawn. A dyna pam y dymunaf dalu teyrnged i rai fel Ann Pettitt a fu yno o'r cychwyn, i Beth a Sarah, Mary ac eraill. 'You can't kill the spirit' oedd un o'r sloganau. Tybed? Mae'n rhyfedd cynifer o ferched dros heddwch a chyfiawnder a laddwyd yn sgil angen y teyrn i ladd yr ysbryd. 'We aged a hundred years and this happened in a single hour,' meddai Anna Akhmatova, ac yna, 'the mouth through which a hundred million scream'. Ac Anna Politkovskaya, a wenwynwyd yn gyntaf gan Putin am adrodd am erchyllterau Chechnya cyn cael ei saethu'n farw yn ddiweddarach. Ac meddai'r unben,

'Journalists should know, as experts do, that her influence on political life in Russia was extremely insignificant.' O ddarllen y bywgraffiad a wnaed ohoni, roedd hi'n bell o fod yn ddibwys. Petra Kelly, heddychwraig ac amgylcheddwraig – un arall a saethwyd yn farw dan amgylchiadau amheus – Marie Colvin yn Homs, Syria neu… mae'r rhestr yn faith. Eneidiau prydferth. Fel Helen. Yno yn ein heneidiau fel y cwmwl tystion am heddwch ond a'n gadawodd yn dlotach hebddynt.

★★★

Gweithred Greenham felly. Prosiect a gychwynnodd yn 1981 ac a barhaodd hyd at 1995. Hwyrach iddyn nhw ragweld yn glir y byddai'r ras arfau yn cynyddu a'r gwrthdaro yn rhwym o ddilyn yn sgil hynny. Anodd yw pennu pwy sy'n iawn, neu fel y dywed yr hen wireb, 'war does not prove who was right, only who is left'. Y tro olaf i mi ymweld â Greenham, mynd i weld gardd Helen oeddwn i, a llonni at y ffaith fod blodau'n tyfu o gwmpas ei henw, a'r glesni ymhobman a cherrig bychain a chregyn wedi eu gadael yno gan anwyliaid a dieithriaid fel ei gilydd. Gardd Helen mewn gardd letach o lawer yw hi bellach. Achos daeth tro ar fyd y Comin hefyd. Dychwelwyd y taflegrau criws i America yn 1995, ac er na chafodd Helen fyw i weld hynny fe gawsom ni anadlu ennyd o ryddhad a llawenydd i'r gwersyll gyflawni ei hamcan. Ond am ei nod? Anos yw pennu a lwyddwyd i 'newid y byd' a'i agwedd tuag at arfau o bob math. 'Breuder daioni', meddai Tzvetan Todorov, yw'r gwead anrhagweladwy, cymhleth ynghylch gweithredoedd dynol a digwyddiadau hanesyddol. A welir 'Greenham' arall eto yn y dyfodol? Fel yr adnod am y tlodion gyda ni o hyd, tybed ai'r ffoaduriaid fydd hanes ein canrif heddiw, er i ferched Greenham oleuo'r ffordd a mireinio ein deall o sut mae byw a bod ar eu cythlwng mewn awyrgylch gelyniaethus ar dir neb? Y Comin. Nid Pabell y Cyfamod ond gwneud cyfamod yn babell i bob un a fynno ymuno yn yr ymdrech yw ac y bydd hi. Efallai?

Olion traed newydd sydd ar y tir yno bellach. O gychwyn mewn cywair tywyll, mae'r lle bellach yn fan hyfryd, llawn goleuni. Fe'i hagorwyd ym mis Ebrill 2000, yn bartneriaeth rhwng Cyngor Newbury ac Ymddiriedolaeth Cymuned Greenham. Mae bellach yn gartref i delori adar: yr eos, yr ehedydd a'r gylfinir, ac yn dynfa i ddeg math ar hugain o bilipalod ynghyd â sioncod y gwair. Trodd 'embrace the base' yn gyfle i'r bywyd gwyllt a oedd yno cyn unrhyw safle milwrol i ffynnu eto, a dychwelodd cerddwyr hamddenol gan hawlio yn ôl y tir y'u hamddifadwyd ohono unwaith. Mae sawl math arbennig o degeirian yno hefyd, rhai prin a rhai sy'n fwy cyffredin.

Hoffwn wybod pwy wnaeth enwi un tegeirian yn 'tegeirian y milwr', sef *orchis militaris*. Math o chwyn yw, mae'n debyg. Ac eto, beth yw chwyn heddiw? Hoffwn ddychmygu i filwr gydio yn y blodyn wrth iddo orwedd wedi ei glwyfo ar faes y gad yn rhywle, a rhoi enw newydd arno fel rhan o ardd y byd. Ond falle mai testun cerdd yw hynny, a'r hyn oll o weithredu y gall y bardd a luniodd yr ysgrif hon ei wneud yw bwrw tystiolaeth dros ferched dewr Greenham a'r merched eraill sydd yn ceisio gweithredu heddwch dros bob un ohonom. Tegeirianau prin oeddynt, heb niweidio yr un milwr, heb ddim ond yr awydd i'w gadw ef ac eraill rhag unrhyw anaf. A rhag difodiant ein daear frau.

Falle y dylem enwi tegeirian gwyllt newydd a welwn yn degeirian hedd.

Ôl-nodyn

Lluniwyd yr ysgrif hon dan gwmwl yr ansicrwydd a fyddai Putin yn ymosod ar Wcráin. Mor rhyfedd, felly, oedd cloriannu protestiadau'r wythdegau yn ei sgil. Creodd benbleth i heddychwyr nas rhagwelasom am y ffordd orau o ymgyrchu am gadoediad a heddwch. Nod Comin Greenham oedd cyhoeddi ffolineb arfogi, annoethineb NATO yn ymestyn ei rymoedd fwyfwy, gan obeithio y deuai cyfnod o dderbyn cytundeb i ddiarfogi'r byd benbaladr.

Amcan y gwersyll oedd gweld taflegrau criws yn gadael a dychwelyd i America. Llwyddwyd gyda'r dasg honno drwy weithredoedd Greenham ond wrth ysgrifennu'r bennod, clywyd ar y newyddion am daflegrau criws Rwsia yn bomio'n ddidrugaredd fannau yn Wcráin.

Sut mae modd parhau i gredu mewn heddychiaeth? Ai gair 'darfodedig' yw heddwch? Oes modd cefnogi diarfogi pan fo'r gelyn yn benderfynol o ddileu gwlad, lladd a gwasgaru ei phoblogaeth? Ai gair neis–neis yw heddwch, dyhead a dim byd mwy? Ond sut mae cysoni 'dyhead' yn erbyn 'dilead' y rhai nad ydynt yn poeni botwm corn na botwm niwclear am eu gwasgu? Ai heddychwyr a ganiataodd i ryfeloedd rygnu ymlaen? Ai siwrne seithug oedd yr orymdaith y buom arni ar strydoedd Llundain wrth geisio atal y rhyfel yn Irac? A beth am Syria? A Yemen?

Ac eto, wedi dweud hyn oll, ni all leihau cyfraniad gloyw a phrotestiadau'r merched a aberthodd wrth sefyll eu tir yn Greenham. Hwyrach mai proffwydi oedden nhw, gweledyddion y dyfodol mor bell yn ôl â'r wythdegau. Yno i'n hatgoffa efallai nad oes yn rhaid i bethau barhau fel ag y maent a'n dwysbigo i geisio gweithredu mewn rhyw fodd. Ond 'Pa le, pa fodd' y mae dechrau…

Hwyrach mai'r unig ble dros heddwch gan awdur yw'r gallu i ganu, rhuo tuag at ryfel a churo'r galon.

Y WRAIG O WCRÁIN

(cyfweliad ar deledu)

Tybed beth ddaeth ohoni'r wreigen hen
fu'n ysgyrnygu'i dannedd ar y sgrin,
esgus rhoi tro yng nghorn gwddwg milwr o Rwsia
a'i ladd yn y fan a'r lle â'i dwylo ei hun?

Yna oedodd, mwmial
yn swil, 'wn i ddim wir beth ddwede ei fam am hynny,'
cyn gostwng ei phen mewn gwarth;
dychwelyd i'w *mam*-wlad a wnaeth
at wladgarwch arall, ill dwy yn famau,
a'u hanadl o'r un genedl – o gont i fron,
o wewyr a gwayw i bob geni fu'n wyrth,
yn dymp neu'n gwymp – i'w caru a'u carco,
o archoll i'w colli efallai, ac eto drwy ing
neu einioes, eu sêl yn gytûn dros gynefin cnawd.

Nodau tyner eu naws a glywyd a graddfa
leiaf y tonydd yn ei llais, a'r da o ddwy
ynys yn deall traw yn yr aer dwys:
mam-o-laeth iselradd. A geiriau'r gân?

Collwyd.